講談社文庫

変《へん》化《げ》

交代寄合伊那衆異聞

佐伯泰英

目次

第一章　初雪早走り　7
第二章　左京追跡　77
第三章　再建の槌音　143
第四章　北辰の剣　205
第五章　主殺し　270
解説　細谷正充　334

交代寄合伊那衆異聞

変化《へんげ》

第一章　初雪早走り

一

湿った闇が街道を覆っていた。

ちらついていた雪は止《や》んでいた。

この年に降る初雪であった。

安政《あんせい》二年（一八五五）陰暦十月六日夜半過ぎ、息を弾ませた一人の若者が甲州道中の小仏《こぼとけ》峠を一気に越えて下り坂の駒木野《こまぎの》宿に差し掛かろうとしていた。

背には長剣を負い、腰には替えの草鞋《わらじ》と風呂敷包みに竹筒をぶら下げていた。脇差《わきざし》代わりに小鉈《こなた》が差し込まれ、継ぎの当たった古縞木綿の袷《あわせ》と裁着《たつつ》け袴《ばかま》を、頭には一文字笠を被《かぶ》り、その塗り笠には丸に違鷹《ちがいだか》の家紋がうっすらと浮かんでいた。

一昼夜と半日前、信濃国《しなの》伊那谷《いな》にある座光寺《ざこうじ》山吹《やまぶき》領を出たときは五人連れであった。だが、休みもなくひたすら江戸にひた走る道中に一人欠け、二人脱落し、ついには若者、本宮藤之助《ほんぐうとうのすけ》だけがきりりとした眼差しを闇の虚空に向け、ひたすら足を動かしていた。

かっかっかっ

と道悪の街道を藤之助の爪先が軽く捉《とら》え、その度《たび》に若者は一間ほど飛ぶように前進していった。

その割には静かな走りだった。

右足と右手が同時に出て、静かに左足と左手と替わった。腰は捻《ひね》られず、上体は背筋がぴーんと立ち、腰も頭も上下することなく不動の高さを保っていた。

戦国時代から座光寺家に伝わる戦陣走りだ。

身丈は五尺九寸ほどか、がっちりと腰の据《す》わった体型でありながら、しなやかさをも併せ持っていた。

伊那谷を何騎もの騎馬武者が駆け抜け、大地震に江戸が見舞われたことが断片的に叫び知らされた。

早馬は十月二日夜半四つ（午後十時）の刻限に発生した安政大地震の惨状をそれぞ

れの領地に伝えるものであった。

江戸を壊滅させた地震は死者七千余人、怪我人二千余人、倒壊家屋一万四千余戸を数える未曾有《みぞう》の被害をもたらすことになる。

座光寺家の知行地、山吹陣屋《じんや》にも街道の風聞で知らせが入り、陣屋家老片桐朝和神《かたぎりあさかじん》無斎《むさい》が五人の若者を集めて江戸屋敷へ急行せよと命じた。

その一人が本宮藤之助だった。

直参旗本《じきさんはたもと》座光寺家は交代寄合《こうたいよりあい》衆、あるいは伊那衆と呼ばれる家柄で禄高は千四百十三石、珍しくも参勤交代を強いられる旗本三十四家の一家であった。

徳川の幕藩体制で参勤交代を執《と》り行うのは大名以上とある。だが、中には座光寺家のように万石以下の旗本でありながら領地と江戸の二重生活を勤める家もあった。

戦国の御世から徳川幕府の治世に移りいく中で、大名と旗本の線引きは実に曖昧《あいまい》としたものであった。格別にかっちりとした規範があったわけではない。江戸二百五十余年の治世を通じて段々に武家諸法度《ぶけしょはっと》が出来上がっていったのだ。

そんな中で参勤交代をする旗本が三十四家取り残された。

その家柄を交代寄合衆と呼んだ。

さらに享保《きょうほう》、元文《げんぶん》の頃、交代寄合衆は、

「交代寄合表御礼衆《おもてごれい》」

と単に、

「交代寄合衆」

に分かれた。

およそ交代寄合衆の発祥をみるに家格も身分もばらばらであった。大きく分けるとするならば、松平《まつだいら》家一門譜代《ふだい》系五家、旧織田《おだ》・豊臣《とよとみ》系四家、豪族系二家、旧守護大名系二家、大名の分家・一族七家と様々で、ここまでが「表御礼衆」と呼ばれ、以下「交代寄合衆」として那須《なす》衆四家、美濃《みの》衆三家、伊那衆三家、三河《みかわ》衆二家の豪族、これに準ずる二家を加えて三十四家、実に多彩であった。

表御礼衆二十家の家格も禄高も交代寄合衆よりは上位とみられた。

伊那衆の座光寺家はわずか千四百十三石で、これで領地と江戸の暮らしを立て、武家の体面を装わねばならなかった。

貧乏を絵に描いた御家人《ごけにん》というが交代寄合衆に比べれば、体面を考えないだけましな暮らしといえたろう。

だが、座光寺家を始め交代寄合衆は譜代扱いであり、領内の統治権を完全に有して、領民との結び付きは他の幕臣に比べ、強いものがあった。それだけに武家として矜持《きょうじ》は人一倍に過剰であったともいえる。

ついでに述べる。

伊那衆三家とは座光寺家の他に、

「信濃阿島《あじま》二千七百石知久《ちく》家」

「信濃伊豆木《いずき》千石小笠原《おがさわら》家」

であった。


藤之助の眼前に駒木野宿小仏関所が見えてきた。

元和《げんな》二年（一六一六）、徳川家康《とくがわいえやす》は甲州道中の東の関をこの地、駒木野に定めた。むろん甲斐《かい》の勇将武田《たけだ》一族を睨《にら》む関所として設けたものだ。

以来二百四十年余りの歳月が過ぎようとしていたが、関所は鉄砲弓槍を構えた関所役人で厳しく固められていた。

鎖国政策を取り続ける徳川幕府に開国を迫る諸外国の軍艦が威圧的に日本の海岸線に迫り、泰平の眠りが覚まされていた。

藤之助の目に赤々と篝火《かがりび》が焚《た》かれた関所が映った。いつもは明け六つ（午前六時）から暮れ六つ（午後六時）の間しか開かれない関所の門が大きく開かれ、番屋役人の姿が見えた。

大地震を各所に告げる早馬、伝令が通過するために臨時に開かれているのだろう。

「交代寄合衆座光寺家家臣本宮藤之助、江戸屋敷に罷《まか》り通る!」

その声が門前十間余り前で響き渡り、関所役人が声のしたほうを見たときには旋風《つむじかぜ》が吹き抜け、刀を負った若者の姿は八王子《はちおうじ》宿に向かって消えていた。

「なんだ、あやつは」

「確かに座光寺家の陣笠のように見受けられたがな」

「高尾《たかお》山《さん》の天狗《てんぐ》ではないか」

と関所役人が言い合うときには藤之助は小仏峠最後の下り坂にかかっていた。

手が腰の竹筒に掛かり、もぎ取るように摑《つか》むと竹筒の栓を抜き、中に詰められた水を飲んだ。だが、水は二口ほどでなくなった。

(どこぞで汲むか)

その時間が惜しかった。

陣屋に呼ばれた藤之助らは陣屋家老の片桐神無斎に、

「江戸にて未曾有な地震が起こった模様である。そなたら、江戸屋敷に急ぎ参れ。かような時のために日頃から禄米を頂いておるのだ。休むでない、立ち止まるでない。

一気に駆けて江戸牛込山伏町《うしごめやまぶしちょう》の屋敷を訪ね、殿はご無事か、屋敷に異変があるかなしか確かめよ」

と命じられ、最年長の田村新吉《たむらしんきち》に油紙に包んだ書状が渡された。

伊那谷にある山吹領と江戸四谷大木戸《よつやおおきど》まで六十余里（約二百四十キロ）あった。

一行の頭分《かしらぶん》田村が伊那谷の北側でまず脱落し、次々に年長の者へと受け渡された書状は今藤之助の懐にあった。

藤之助は十八歳の春に参勤交代に加えられ、江戸入りをしていた。だが、江戸がどんなところか分からぬ内に伊那谷へと戻されていた。言わば荷運び要員として加えられたのだ。それ以来、三年ぶりの江戸訪問だ。

藤之助の顔に冷たいものが当たった。

雨だ。

藤之助はまだ手にしていた竹筒を路傍に投げ捨てた。雨が降るならば水を汲む必要はなかった。

走りながら顔に当たる雨を舌で嘗《な》めた。

座光寺領内には武士身分の家臣が十三人、地付きと呼ばれる小者が七家奉公し、知行地《ちぎょうち》伊那郡座光寺領四ヵ村、山吹、北駒場、上平、竜口村に住んでいた。

本宮家は武士の身分の最下級に属し、当主が泰山《たいざん》神社の神職も兼ねていた。泰山神社に許された朱印七石が本宮家の禄高でもあった。むろん七石で一家眷属《けんぞく》が食えるわけもない。神職のかたわら田畑を耕し、山に入って植林作業に従事し、山の恵みを受けてなんとか腹を満たしていた。

だが、座光寺家が徳川譜代の旗本であり、本宮家が座光寺家の家臣であるかぎり、表芸は武術に変わりはない。

藤之助は物心ついたときから座光寺一門に伝えられた信濃《しなの》一傳流《いちでんりゅう》を叩《たた》き込まれ、藤之助は剣の師匠でもある片桐神無斎から、

「藤之助は不世出の剣者なり、その天分、地にありて並ぶ者なし、天において比肩しうる者なし。信濃一傳流の免許を許す」

との言葉を貰《もら》っていた。

座光寺家中興の祖と呼ばれる七代座光寺為忠《ためただ》が朝山一伝流森戸《もりと》隅太《すみた》の下で修業をし、免許皆伝を得ていた。

戦国の気風をそのまま受け継いだ剣法に朝山一伝流を加えて出来上がったのが座光寺家流儀剣術の信濃一傳流だ。

信濃一傳流の教えはただ、

「太刀風迅速果敢に打ち込め、一の太刀が効かずば二の太刀を、二の太刀が無益なれば三の太刀に繋《つな》げよ」

と単純にして明快なものだった。それをさらに藤之助自らが川遊びや山歩きの中でこの信濃一傳流に独自の解釈を加え、自らの独創の剣法を創り上げていた。

だが、座光寺領内でその技を試す機会などあろうはずもない。

神無斎に江戸屋敷の勤番を願い出ていたが、

「藤之助、そなたが江戸に出るにはまだ早いわ。そのうち機会も来よう。待て」

と許しが得られなかった。

それが突然江戸行きの好機が巡ってきたのだ。なんとしても手柄を立てて、江戸屋敷勤番に振り替えて貰いたかった。その思いが藤之助の朦朧《もうろう》とした頭と疲れた足を動かしていた。

雨が激しくなった。

風も強くなった。

一文字笠がばたばたと鳴ったが藤之助は構わず走った。

行く手が幾分《いくぶん》白んできた。

陰暦十月六日は今でいうと十一月の半ばにあたる。紅葉の季節の只中《ただなか》にあった。だが、走る藤之助に紅葉を愛でる余裕などなかった。

走りながら背に負った太刀の紐《ひも》を結び直した。

江戸行きが決まり、泰山神社に戻って父の定兼《さだかね》に事情を述べると定兼は蔵から一振りの太刀を出してきた。

「藤之助、備《び》前《ぜん》国から相州《そうしゅう》鎌倉に呼ばれ、鎌倉一《かまくらいち》文字《もんじ》派を興された助真《すけざね》どの鍛造の一剣だ。そなたは力持ちゆえ刃渡り二尺六寸五分の藤源次《とうげんじ》助真を十分に使いこなせよう」

と伝来の剣を与えた。

藤源次とは助真が称した名だ。

「よいな、藤之助、この藤源次助真をそなたに与えしは座光寺家の名を高めんがため、ひいては本宮家の出世のためじゃぞ。お若き左京《さきょう》様を助けて奉公せよ」

「畏《かしこ》まりました」

藤之助は先祖が戦場から持ち帰ったと伝えられる助真を有難く受けた。

左京様とは嘉永《かえい》元年（一八四八）に座光寺家十二代に養子に入った為清《ためすが》のことだ。

藤之助は未《いま》だ座光寺家当主との対面を許されていなかった。

藤之助の足はさらに速度を増した。

小仏峠の坂道を飛ぶように下りながら、腰の風呂敷包みから最後の竹皮包みを出し、麦が混じった握り飯をむさぼり食った。大きく切られた沢庵《たくあん》をその合間に食べて嚙《か》み切り、半日ぶりの食事を終えた。

雨の中、鈍色《にびいろ》の雲が垂れ込め、灰色の帯が蛇行する光景も見えた。多摩川だ。もはや江戸は指呼《しこ》の間だ。

雨も小降りになり、風も止んだ。

日野《ひの》宿と府中《ふちゅう》宿の間に横たわる多摩川の渡し場で藤之助は足を止めようとした。

一番船が今仕度を終えていた。

「の、乗せてくれ」

六尺に近い若者の出現に渡し船の船頭がぎょっとした顔をした。

「江戸屋敷の地震見舞いに参るものだ」

「お侍、乗りなせえ」

船頭の許しを受けて藤之助は船頭の足元に割り込んだ。

「この雨で江戸の火事も下火になったろうな」

渡し船の中央からそんな声が響いてきた。

「なにせ大川の両岸がひどいということだ。本所《ほんじょ》、深川《ふかがわ》、鉄砲洲《てっぽうず》、築地《つきじ》、浅草《あさくさ》界隈には建っている屋敷はねえというぞ」

「地震に壊されなくともその後に燃え広がった火事でひとたまりもないということだ」

「水戸藩のお偉い先生が建物の下敷きで亡くなったというではないか」

「藤田《ふじた》東湖《とうこ》という先生様だ」

「それよりひどいのは鉄漿溝《おはぐろどぶ》と高塀に囲まれた吉原《よしわら》だ。女郎が何人も焼け死んだというぞ」

「何人どころじゃねえ、死骸がごろごろしているということだ」

「可哀想にな」

「いんや、勿体《もったい》ねえよ」

と言い合う旅の商人に藤之助は声をかけた。

「わが屋敷は牛込山伏町にあるがその界隈はどうであろうか」

かたわらに薬箱を大風呂敷で包んだ荷に手をかけた商人《あきんど》が、

「牛込御門《ごもん》外ですかえ。地震は川筋がひどいというし、火も御堀の外までは回ってはいますまい。まずお屋敷は大丈夫にございましょう」

と請合《うけあ》ってくれた。

「有難い」

藤之助の言葉に頷《うなず》いた商人が、

「お侍はどこから走って来られた」

「信濃だ。伊那谷の山吹領から参った」

「伊那からその二本の足で駆けて来られたか」

「馬に乗る身分ではないでな」

藤之助は足に履《は》いたぼろ草鞋を脱ぎ捨て、腰にぶら下げた最後の草鞋の紐を解《ほど》いた。

「もうし、伊那谷から何日で来られたな」

商人の話相手の老人が藤之助に聞いた。

「ほぼ二昼夜前になるか」

「泊まりなしですかえ」

商人が呆れたように聞き返した。

「ご家老に立ち止まるな、休むでないと命じられたでな」

「呆れた。それは言葉の綾というもんですよ。だれが六十何里も休みなしに走り通せるものですか」

「そなた方に牛込御門外は大丈夫と聞いたで、これからはゆっくりと参ろう」

「そうしなせえ。それにしても魂消《たまげ》たもんだ」

と感心する相乗りの客の視線の中で藤之助は最後の草鞋に履き替え、紐を結んだ。

渡し船が府中宿外れの渡し場に着こうとしていた。

「ともかくな、半刻一刻早く着いたところで江戸の惨状が変わるわけではねえ。死んだ者は生き返らねえのが道理だ。お侍、ゆっくりといくだよ」

「承知いたした」

舳先《へさき》がとーんと当たって渡し船が河原の石ころを嚙《か》んだ。

その瞬間、藤之助は船から飛び降りると、

「御免《ごめん》」

と船客に言い残し、土手を目指して駆け上がっていった。

「他人の忠言を聞こうともしねえで」

商人が洩《も》らしたときには若者の姿は土手の向こうに消えていた。

藤之助は府中宿で安政の大地震と呼ばれる災害の一端を知ることになった。

宿場には江戸で被害に遭った人々が逃れてきて、火傷《やけど》の顔を汚れた布で巻いた女や足を折ったか、杖に縋《すが》って歩く老人の姿が見られた。

藤之助の足は止まらなかった。

ひたすら片桐の命を守って走り続けた。

布田《ふだ》宿、高井戸《たかいど》宿を飛ぶように過ぎて、内藤新宿《ないとうしんじゅく》に飛び込んだときは五つ（午前八時）過ぎの刻限であった。

内藤新宿の寺という寺、旅籠《はたご》という旅籠に江戸を逃れてきた人たちが避難していた。中には飯盛《めしもり》旅籠にも怪我人が収容されて、医者が飛び歩いて治療に当たっていた。

新宿全体に焼け焦げたような血の臭いが漂っていた。

藤之助は御三卿田安《ごさんきょうたやす》家の下屋敷前にある四谷大木戸《よつやおおきど》を一瞬のうちに駆け抜けた。

その瞬間、藤之助は地表から虚空へと突き上げられるような衝撃を感じた。

「わああっ！」

「また大鯰《おおなまず》が暴れたぞ！」

あちらこちらから悲鳴が上がり、藤之助もその場にしゃがみ込んだ。

「やうやうにして三日目の八つ半（四日午前三時）ごろに地震しづまり、ゆめみたごとく、家の焼けかず十万あまり」

読売の告げる安政大地震の惨事の状況だ。

大地震の起こった十月二日深夜よりこの月の二十九日まで連日震動し、この間に人が感じる余震、昼二十八度、夜五十二度と都合八十を数えたという。

藤之助が見舞われた余震もその一つだった。

揺れが収まり、藤之助は再び走り出した。

もはや座光寺家の江戸屋敷はすぐそこだ。

四谷忍町《おしまち》から伝馬町、麹町《こうじまち》と駆け抜けた。四谷御門を見て御堀を北へと折れた。

三年前の記憶を辿《たど》りながら四谷御門を過ぎた。すると見覚えのある牛込御門が見えてきた。

屋根瓦が落ちた屋敷や塀が倒れたお長屋はあったが、さほど町並みは変わった様子はなかった。

御堀の土手には御救け小屋が建ち並び、炊き出しの準備をしているのが異変といえば異変だった。

牛込御門を右手に見て神楽坂《かぐらざか》に曲がった。坂を上がり、安養寺《あんようじ》の辻を御簞笥町《おたんすまち》へと斜めに入り、裏山伏町《うらやまぶしちょう》を過ぎれば、交代寄合衆座光寺家の拝領屋敷の長屋門が見えてくる。敷地はおよそ千二百坪だ。

長屋門がぴたりと閉じられているのが確かめられた。

どこから見ても屋敷に異変があるとは思えなかった。

(商人が申したこと、正しかったぞ)

やれやれと安堵《あんど》した藤之助は門前で止まった。

弾む息を整え、懐の書状を確かめた。

埃《ほこり》と雨に打たれた五体は薄汚れ、髭《ひげ》は伸び放題に伸びていた。

(致し方ない、六十余里を走り通したのだ)

と自ら言い聞かせ、堅く閉じられた通用口に歩きかけて気付いた。

屋敷全体が重苦しい雰囲気に包まれていた。どこか沈潜する空気が座光寺家の江戸屋敷を覆っていた。

藤之助は通用口に向かう足を止め、再び門前から離れて、異様な気配を確かめた。

だが、その印象は変わらなかった。

隣の屋敷はいかにと見たが、近隣の旗本屋敷や御家人屋敷の門は開け放たれて、掃き清められた玄関先と庭が長閑《のどか》にも見えた。

藤之助は安堵した気持ちを再び緊張に包み、通用口の戸を叩いた。

二

「座光寺山吹陣屋から使者にござる、開門を願いたい！」

何度か叩《たた》くとようやく中から戸が細く開かれた。だが、なんの返答もなかった。じいっと見られる気配がして、すいっと開かれた。

「入られよ」

藤之助が戸を潜ると門衛が三人立ち、年配の者が、

「確かに山吹領からか」

と問い直した。同時に、

「藤之助」

と懐かしくも本宮藤之助の名が呼ばれた。見ると閉じられた大門の陰に四人目の男、都野《つの》新也《しんや》が立っていた。藤之助よりも四つ年上の新也は三年前に江戸藩邸勤番を命じられていた。

座光寺領内で片桐道場の兄弟子である。

「番頭、この者が伊那谷の暴れ水、本宮藤之助にございます」

番頭と呼ばれた男がじろりと見て、

「何用あって江戸に出てこられた」

「江戸が災禍《さいか》に見舞われたゆえ江戸屋敷を見て参れとの陣屋家老片桐様の使いにござる」

「なにっ、もう地震のことは伊那谷に伝わっておるか」

新也が聞いた。

「早馬が伊那街道を何騎も下るでな」

「そうかそうであろう」

「都野、こやつを玄関先まで案内せえ。余計のことは言うでないぞ」

「はっ」

藤之助は新也に伴われて玄関先までわずかな間を移動した。

「都野様、なんぞ異変がございましたか」

「分からぬ」

新也が首を捻《ひね》った。

藤之助が新也の顔を振り返り見た。

「この数日、左京様のお姿を見かけてはおらぬことは確か」

「左京為清様のお姿がない」

藤之助は自問するように問い質《ただ》したがもはや新也は答えなかった。

玄関番の小姓《こしょう》が新也から用件を聞くと、藤之助に玄関脇の暗い供待ち部屋に入られよと命ずると奥へと走った。藤之助は、

（なにが座光寺家を襲ったか）

と考えながら草鞋の紐を引ききり、腰にぶら下げたままの風呂敷包みを袖《そで》に突っ込んだ。さらに家紋入りの一文字笠を脱いだ。

なにか座光寺家江戸屋敷に異変が生じていることだけは理解できた。だが、その先は皆目《かいもく》理解の外であった。

懐の書状を確かめた。汗と雨に濡れた油紙に包まれた手紙は確かにあった。藤之助は油紙を剝《は》がすと書状を手にした。

足音がして小姓が戻り、

「こちらへ」

藤之助は奥へと連れて行かれた。

廊下を曲がりくねって進むと冬の長閑《のどか》な日差しが当たる庭が見えた。手入れの悪い庭に紅葉が色付いて見えた。庭の長閑さに比して屋敷じゅうのどこかしこにも息を潜めた緊張があった。

「ご家老様の面前でございます」

小姓に言われて藤之助は背に負っていた太刀の紐を慌《あわ》てて解き、下ろした。そして剣を手に廊下に座した。腰と足の筋肉がばりばりと音をさせて鳴った。

障子《しょうじ》が一尺ばかり開けられ、中から覗《のぞ》かれている気配がした。

藤之助は、

「陣屋家老片桐朝和《あさたか》様の書状にございます」

と言いながら手にしていた書状を小姓に渡した。

小姓がさらに江戸家老引田《ひきた》武兵衛《たけべえ》がいる座敷へと差し出した。書状が受け取られたか、小姓が姿を消した。

藤之助の耳に封を披《ひら》くかすかな物音が響いた。

座光寺家江戸屋敷には江戸家老の引田を筆頭に用人格が二人、武家身分が六人、若党小者が十人ほどいると聞いていた。

奥には養子に入られた座光寺為清、左京様と呼ばれる若い当主に先代の奥方、お列《れつ》様が暮らしておられるはずだが、藤之助はまだお目にかかったこともなかった。左京為清は田舎が嫌いとか、まだ伊那谷に戻ったことがなかった。それに奉公人が何人いるのかも見当つかなかった。

江戸屋敷のみを拝領する千石格の旗本ならばもっと簡素な家臣団かもしれなかった。領地持ちの座光寺は地付きの奉公人を含めて、それなりの人数を要していた。むろん千四百十三石の年貢で座光寺の内証と体面を支えられるわけもない。

戦国時代から伊那谷に暮らす伊那衆には幕府に内緒の山林があって、何十年かに一度売り払うことでなんとか不足分を補っていた。

実際、座光寺領での藤之助の奉公は枝払いなどの植林作業であり、伐採が主たる仕事だった。

長い静寂の時が流れた。

伊那谷から六十余里を走り通してきた藤之助は思わずうつらうつらと眠り呆けていた。どれほど時が流れたか。

えへん
という空咳《からぜき》に藤之助ははっとして姿勢を正した。すると障子の奥から、

「ほんによう」

という女の呟《つぶや》きが聞こえ、ぼそぼそとした男女の会話の後、一人が立ち去る様子が感じられた。

「本宮藤之助、そなた、座光寺領から江戸まで休むことなく走り通したか」

「はっ」

「ご苦労であった」

ようやく労《ねぎら》いの言葉がかけられた。

「片桐様の手紙しかと読んだ。藤之助、そなたにはちと用事がある。江戸屋敷に奉公替えになったと思え。陣屋家老片桐様も承知のことである」

「はっ」

と平伏した藤之助は突然願いが叶《かな》ったことに胸の中で快哉《かいさい》を叫んだ。

「江戸の奉公はそのようなむさい格好では相ならぬ。旅塵《りょじん》を湯屋で洗い流せ」

先ほどの小姓が再び呼ばれて湯殿《ゆどの》に案内された。小姓は湯殿に案内するとさっさと姿を消した。

藤之助は藤源次助真の一剣をまず脱衣場の隅に立てかけ、腰の小鉈をその脇に置いた。継ぎの当たった縞木綿の上下を脱ぐと下帯一つになった。裸になるかどうか迷った末に下帯のままに湯殿に入った。湯船に水が張ってあるだけだ。

洗い場の隅にあった木桶を湯殿に突っ込み、水を頭から何杯も被《かぶ》った。六十余里を走り、体から搾《しぼ》り出した汗と埃が眠気と一緒に流れていった。

「よしよし」

独《ひと》り言《ご》ちた藤之助はなめし皮のような肌を伝う水滴を手で払い落とした。薄暗い湯殿から脱衣場に戻ろうとして人の気配を感じた。

「待ちやれ」

裾を絡《から》げた中年の大女が糠袋《ぬかぶくろ》を手に湯殿に入ってきて、

「それでは洗い足りぬ。そこへ座りなされ」

と命じた。身丈の割には太った女で腰回りは藤之助の二倍ほどはありそうだった。女の声に聞き覚えがあった。先ほど家老の引田と何事か話し合っていた女のように思えた。

藤之助は思いがけない展開に驚き、すぐには返事が出来なかった。

「ほれ、座りなされ」

と命じられるままに再び湯殿の床に胡坐《あぐら》をかいた。すると女が糠袋で藤之助の首筋から体を、さらには手足を丁寧に擦り上げた。太った割には手足が機敏に動いた。

ひりひりするほど擦り上げられた藤之助の皮膚は赤みを帯びていた。さらに髷《まげ》の元結《もとゆい》が切られ、頭髪にも水がかけられ、洗われた。

最後に何杯も水をかけられると藤之助の体はぽかぽかと温かく感じられるようになった。

「下帯を脱いで上がりや」

女は裸になれと命じた。

「下帯の替えがござらぬ」

「用意してある」

湯殿の端に六尺褌《ふんどし》を脱ぎ捨てた。真っ裸を女に見られぬように脱衣場に上がり、藤之助は息を飲んだ。

格子戸からかすかに明かりが差し込む中、まだうら若い娘が真新しい下帯と浴衣《ゆかた》を両手に捧げ持ち、視線を床に落として待機していた。

「文乃《あやの》、早う仕度をなされ。髷も結い直さねばなりませぬ」

湯殿から女の命ずる声がした。

「はい」

娘が藤之助ににじり寄ってきた。

「おれがやる」

藤之助は下帯を取ると脱衣場の隅に行き、手早く越中《えっちゅう》褌を身につけた。すると背中から浴衣が着せ掛けられた。

「江戸ではこのようなもてなしをなさるのが習わしか」

文乃と呼ばれた娘に小声で問いかけた。すると娘が顔を横に振った様子が感じ取られた。

(なにやら異なことが起ころうとしている)

だが、藤之助にはなんとも抗《あらが》うことも出来なかった。

(なるようになろうわえ)

藤之助は物事を深刻に考え込む気性ではなかった。暴れる季節の天竜川《てんりゅう》の流れに逆らったところで体力を消耗するだけだ。まかり間違えば深みに嵌《はま》って溺《おぼ》れることになる。まず起こらんとすることを確かめることだ、藤之助は腹を固めた。

浴衣に帯を巻かれた藤之助は文乃に案内されて屋敷の一角の縁側に連れていかれた。先ほどとは別の庭に面した縁側には日が差し込んで、三毛猫がごろりと転がって居眠りをしていた。

「こちらに」

文乃に言われるままに藤之助は縁側に座すと、文乃がまだ濡れた藤之助の頭髪を手《て》拭《ぬぐい》で丁寧に拭い、櫛《くし》を入れた。綺麗に櫛が入ったところで文乃が縁側から姿を消した。

藤之助は廊下を歩み去る文乃の足首の白さにどぎまぎとした。

白い肌の顔は整い、その顔に含羞《がんしゅう》があった。

年の頃は十六、七歳か。

(江戸の娘は愛らしいぞ)

藤之助は胸の中が熱くなるのを感じた。

湯が張られた手桶を、藤之助の体を糠袋で擦り上げた大女が運んできた。

「ほれ、顔をこちらに向けよ」

いきなり堅く絞った蒸し手拭が藤之助の顔に当てられた。

「髭《ひげ》なれば我が手で剃《そ》ります」

「ご家老の命である」

その一言で藤之助の願いは拒まれた。大女は巧みに剃刀《かみそり》を使い、藤之助の無精髭を剃りながら、

「ふむふむ、確かにのう」

などと再び奇妙なことを呟いた。大女が再び文乃と替わった。

文乃は藤之助の後ろに回ると櫛で整えた藤之助の頭髪を器用に髷に結い直してくれた。

縁側には日が当たり、文乃が手を動かす度にいい香りが藤之助の鼻腔を擽《くすぐ》った。それがなんとも気持ちがよかった。

いつしか藤之助はまどろんでいた。

二昼夜ほど走り通した疲れが眠りの中へと誘っていた。

藤之助は夢を見ていた。

座光寺領を流れる天竜川に流れ込む支流の一つ、田沢《たざわ》川に夏の光が降り注いでいた。

藤之助らは村の娘たちと水遊びをしていた。流れに顔を浸《つ》けると水中に差し込んだ光を受けた水がきらきらと煌《きらめ》き、魚影が躍った。

なにも考えることなく遊びに夢中になれた時代だった。

「藤之助さん」

村娘の一人、おきみが水中に顔を浸した藤之助の名を呼び、藤之助の背に川蟹を載せた。

「おおっ、こそばゆいぞ」

藤之助は水中に見えたおきみの足を摑《つか》み、流れに押し倒した。水中で目を見開いた二人は互いの顔を見合わせた。おきみの袖口から白い二の腕がひらひらとしていた。

「おきみ」

藤之助はおきみへ手を差し伸べたところで、

「どうなされました」

という文乃の声を聞いた。

「すまぬ、うっかり眠り込んだ」

「伊那谷から走って来られたのです。眠いのは当然です」

「それもあるが腹も減った」

文乃がくすりと笑った。

「今すぐに台所に案内致します」

見ると髷は綺麗に結い直されていた。

文乃は藤之助を座光寺家の広々とした台所の板の間に連れていった。

竈《かまど》がいくつも並ぶ台所の板の間の一角では下女たちが蕎麦《そば》を打っていた。

「しばらくお待ち下さい」

「ご家老が好きなだけ食べさせよと申されました。存分にお上がり下さい」

「よいのか。好きなだけ食べて」

「構いませぬ」

「飯はどんぶりで装《よそ》って下され」

文乃は手早く藤之助の膳にどんぶり飯を盛り、大きな椀に大根の味噌汁を装った。

運ばれてきた膳の菜は油揚げとひじきの煮た物であった。

麦飯をどんぶりで三杯食べ、大根の味噌汁を同じ数だけお代わりして、藤之助は満腹した。

「江戸の食べ物は美味《おい》しいな」

藤之助は正直な気持ちを文乃に白状した。

「およし様がお待ちです」

文乃は藤之助を再び髪結いの行われた縁側に案内していき、障子の閉じられた部屋の廊下に座した。

藤之助はただ立っていた。

「およし様、お連れしました」

「こちゃに入られよ」

と声がして先ほどの大女が待ち受けていた。

「ご家老の供で夕暮れには屋敷を出る。仮眠をしやれ」

と隣部屋に敷かれた夜具を顎《あご》で指した。

その枕元には助真や小鉈など藤之助の持ち物が置かれてあった。

大女はなにやら藤之助の持ち物を調べた様子があった。風呂に入れられたことも髷を結い直されたことも髭を剃られたことも、なにかを確かめるためだと藤之助は思った。

「休んでよろしいので」

「構わぬ」

「造作をかける」

およしが太った体をのしのしと運んで廊下に出ると入れ替わりに藤之助は部屋に入り、夜具の上にごろりと横になった。

藤之助の足がにゅっと夜具から出た。そのまま藤之助は眠りに落ちていた。

熟睡する藤之助は何度か異変を感じ取った。常に誰かに覗かれているようなそんな気分にさせられたが、藤之助は眠りを止めることが出来なかった。

ただひたすらに眠り込んだ。

「申し申し、本宮様」

との声に藤之助ははっとして目を覚まし、夜具の上に飛び起きた。

廊下の向こうはすでに宵闇《よいやみ》が迫り、文乃が廊下に座していた。

「すまぬ、すぐに目覚めなかったか」

「お疲れにございます、致し方ございませぬ」

文乃が気の毒そうに答えた。

「なんぞ御用か」

「ご家老がお待ちにございます」

「いかにもそうであったな」

藤之助の返答に文乃が衣服の入った乱れ籠を抱えて入室してきた。

「召し物にございます」

絹物の小袖《こそで》に羽織袴《はおりはかま》であった。

「このようなものを着たこともない。着方を知らぬ」

「文乃がお手伝い致します」

襦袢《じゅばん》が着せられた。

「聞いてよいか」

周りに文乃だけと見て藤之助は聞いた。

「なんでございますな」

「まず地震の様子が知りたい」

「ひどい揺れにございました。寝入ったばかりの刻限で私どもはなにが起こったのやらさっぱり分からぬままに床下から突き上げられる激しい揺れになす術《すべ》もございませんでした。揺れが収まり、明かりを点《とも》して部屋じゅうがなにか変わったように覚えました。台所に参ると水屋が倒れ、水甕《みずがめ》が転がって割れておりました。この界隈は大したことがないと分かったのは数刻後のことでした。御城の方角の空が真っ赤に燃え上がり、それはそれは恐ろしい光景にございました。江戸の空を真っ赤に焦がした火事は三日三晩続き、ようよう雨が降って消えました」

文乃はまだか細い体を震わした。

藤之助は頷《うなず》いた。

「地震の模様を確かめに行かれた若党の恒吉《つねきち》さんの話では御城から東側はもう地獄絵図だと申されました」

「左京為清様のお姿が見られぬと申すがその夜からか」

ぶるっと文乃が身を震わせ、今度は体を強張《こわば》らせた。

「私はなにも存じませぬ」

愛らしい顔が歪《ゆが》んだ様子に、

「よいよい、もうこのことは尋ねまい」

と文乃を安心させた。

話の間にも文乃は藤之助に小袖を着せ、袴を穿《は》かせ、羽織を着せ掛けた。さらに乱れ籠から一振りの脇差を両手で取ると、

「為治《ためはる》様ご鍛造の脇差を使うようにとご家老の命にございます」

「この格好には小鉈は合うまいな」

差し出された脇差は座光寺家四代喜兵衛為治が自ら鍛造した
「長治《おさはる》」

であった。

為治は自ら刀剣を鍛造することを得意として、長治は刀工名であった。

長治を前帯に斜めに差した藤之助は手に藤源次助真を持ち、小鉈を懐に仕舞《しま》った。

三

引田武兵衛は小柄な老人だった。

藤之助は以前江戸に出て来た折に会ったような気もしたが、はっきりとした記憶はなかった。せかせかと歩く引田の足元を提灯《ちょうちん》の明かりで照らしながら藤之助は黙々と歩いていく。

藤之助の見覚えのある光景は牛込御門までだ。

「その辻を左へ」

引田の命どおりに藤之助は夜の町並みを進んだ。御堀が神田川と名を変えた暗がりをひたすら下っていく。

「昌平坂学問所《しょうへいざかがくもんじょ》である」

引田がふいに左手の高塀の暗がりを顎《あご》で指していった。

昌平坂を下る二人の視界に黒い林やその間で燃される焚《た》き火の明かりが飛び込んできた。同時に藤之助の鼻を死臭が衝《つ》いた。

焚き火の明かりに浮かんだのは地獄の光景だった。黒い立ち木は屋敷や寺の燃え残った柱でその柱を引き倒して燃やし、被災した無数の人間が暖をとっていた。それはまるでぼろ屑《くず》のような人の群れだった。

「此度《こたび》の地震で死者は数千人とも数万人ともいわれ、幕府も未だ実態を摑んでおられぬ」

神田川沿いを下れば下るほど地獄の様相が激しくなった。

道端に小高く積んだ山が見えた。ぶすぶすと燃える音が聞こえそうな山は地震に押し潰され、焼け死んだ死骸だった。

藤之助は叫びたい衝動を必死で堪《こら》えた。

引田武兵衛が藤之助に供を命じたには理由があると思えた。その命に応えなければ江戸勤番はないと考えられた。

その江戸は地獄と化していた。

黒い森のあちこちに地獄火のように焚き火が燃えて、冷たい風が藤之助らを見舞った。

藤之助は一瞬ほっとした。鼻孔を擽《くすぐ》る冷たい風に、

（助かった）

と思ったからだ。だが、風が冷気を感じさせたのはほんの一瞬でこれまで感じた何十倍もの死の臭いが混じった風が二人を襲ってきた。

「あれに黒々と流れる川が隅田《すみだ》川である、江戸の人間は大川と呼ぶ。此度の地震の被害が一番酷《ひど》いのも大川の両岸だ。水辺には未だ始末されない死骸が何百も浮かんでおるという」

武兵衛が、左へと命じ、

「この大きな通りが御蔵前《おくらまえ》通りだ。この先に幕府の御米蔵が何棟も並んでおる」

藤之助の全身にぞくぞくとした悪寒が走った。

「お侍、食べ物をくれ、銭をくれ」

藤之助の提げる提灯の明かりに暗がりから声がして、
にゅっ

と手が突き出された。その手は焼け爛《ただ》れて、その皮膚の上に衣服がこびりつくように載っていた。

武兵衛の足は止まらなかった。

藤之助は御米蔵が奇跡を見るように建っていることに感動を覚えた。大きな揺れと猛炎の襲来に耐えて建っていた。

風の具合か、焼け焦げた米の臭いが漂った。

藤之助は勘違いに気付いた。御米蔵は一見無事のように見えて、その実、蔵の中には火が入っていたのだ。

御米蔵が熱気を発しているのを肌で感じた。蔵の中では何千石と積まれた米が未だぶすぶすとくすぶり続けていた。

（なんということか……）

そんな中、焼け跡を片付けて仮店を出し、すでに商いを始めた米屋や味噌屋も見られた。だが、蘇ろうとする力はほんの一部で大半は大地震と火事の衝撃に叩きのめされたままだった。

「昼間、軒を並べた札差《ふだざし》が商いをする通りだ。人馬や駕籠《かご》が頻繁《ひんぱん》に往来し、荷車が荷を運び、大川の流れには荷足《にた》り舟、猪牙《ちょき》舟、屋根船、渡し船、材木を組んだ筏《いかだ》が忙しげに上り下りする光景が広がっていた。藤之助、朝を迎えたとてもはやそのような光景にはお目にかかれまい」

「はい」

藤之助は吐き気を堪《こら》えて答えた。

「江戸の大半の機能が停止しておる。それほどの大地震であった」

「………」

なぜ引田武兵衛が藤之助を連れ出したのか、どこに行こうとしているのか皆目見当が付かなかった。

死臭には鼻が慣れてあまり感じなくなっていた。

「あれが金龍山浅草寺《せんそうじ》だ」

と引田が教えた界隈には伽藍《がらん》や五重塔の建つ影が見えた。だが、延焼を免《まぬか》れたのか、寺堂に火が入り、ただ燃え残って建っているだけかどうか、藤之助には判断が付かなかった。

伽藍の周囲にはなにも建物がなかった。廃墟が広がっていた。そんな光景の中、五重塔は巨大な卒塔婆《そとば》のようで不気味に見えた。

「本宮藤之助、そなた、主の座光寺左京為清様にお会いしたことはなかったのう」

ふいに引田の話柄が変わった。

「座光寺領には未だご帰国遊ばしませぬゆえございませぬ」

「江戸育ちの左京様は在所が嫌いでな」

座光寺為清は大身旗本の次男か三男と聞いたことがあった。それ以上のことは知らなかった。

「年はそなたと同じであったか」

引田の語調は若い主がこの世のものではないように響いた。そして、藤之助はどうやら引田の外出は左京の行方知れずと関わりがあると気付かされた。

「ご家老、左京様の身になんぞございましたか」

引田は重い溜息《ためいき》で答えた。

「これから話すことはそなたが墓場まで持ってゆかねばならぬ極秘の話である。よいか、本宮藤之助」

「畏まりました」

「よし」

と自分に言い聞かせるように答えた引田武兵衛は、

「あの夜、地震は夜四つ（午後十時）過ぎに江戸を襲いきた。立つことも座ることも出来ぬほどの揺れで如何《いかん》ともし難かった。揺れが収まり、屋敷に怪我人がないことを確かめたわれらは左京様の他出を思い出した。左京様は遊興のために屋敷を出ておられたのだ」

引田はまたここで溜息を吐《つ》いた。

「江戸育ちの左京様は吉原に馴染《なじ》みの遊女がおられてな、月に二度ほどの割りで遊びに行かれる。苦々しきかぎりなれど座光寺家に跡取りなく、左京様の実家、高家肝煎《きもいり》品川《しながわ》家に願って三男の左京様に養子に来て頂いた引け目もあり、あまり強く諫《いさ》めなかったことが此度の苦境をもたらした」

「よう座光寺家に遊興の金子がございましたな」

藤之助は思わず聞いていた。

「それだ。養家に入られ、座光寺家の内証が苦しいと知られた左京様は蔵から刀剣などを持ち出されて質に入れられ、遊ぶ金を拵《こしら》えられ、それを諫めると今度は実家に無心をなされる様子で、座光寺家の面子《メンツ》は丸潰れよ」

引田が吐き捨てるよう言い放った。

「ともあれ、われらは吉原に人を出し、左京様の無事を知ろうとした」

「いかがにございましたか」

大川に流れ込む堀に仮橋が架かっているのが見えた。

「この堀を山谷堀《さんやぼり》という。吉原に通う遊客は猪牙などで柳原からこの今戸橋《いまとばし》際の船宿に着ける。ここからは土手八丁を徒歩で進む」

引田は藤之助に橋を渡らず土手八丁を進むように命じた。

藤之助は山谷堀の河原にもいくつもの死骸の山があるのを目に留めていた。

「そなたは吉原を承知か」

「それがし、座光寺領の他は知りませぬ」

「江戸の新吉原は京の島原《しまばら》を模して造られたものだ。その広さ、東西京間百八十間、南北京間百三十五間、坪数二万七百六十坪を幅二間の鉄漿溝《おはぐろどぶ》が取り巻き、その内側には高塀が建て回されている。幕府から唯一つ営業を公に許された花の吉原は男の極楽、女の地獄ともいえる。この土地の中に遊女三千人が妍《けん》を競い、その何倍もの女衆、男衆が遊女を守り立て、日夜虚飾に満ちた商いを続けている」

引田はしばし黙って歩いた。

さらに一段と激しい死臭が藤之助の鼻を襲った。すでに鼻孔は死臭に慣れて利《き》かなくなっているはずだった。だが、今、新しく押し寄せてくる死臭には白粉の臭いが混じり、なんとも例えようのない異臭だった。

「ほれ、そこに立つ焼け焦げた柳が見返り柳と呼ぶ名物の木よ。ここから衣紋坂《えもんざか》、五十間道で坂道が続き、あれが吉原の大門《おおもん》じゃあ」

引田が指差すほうを見ると焼け焦げた冠木門《かぶきもん》がひっそりと立っていた。

「普段、吉原に出入りする門はあの大門しかない。夜の四つ（午後十時）には閉じられる。だがな、吉原には他の町とは違う刻限が流れておる。吉原の四つは引け四つと称して、九つ（午後十二時）の手前で続けざまに告げ知らされる。お上は大門を閉じるのを四つと決められた。吉原はそれを九つ近くまで引っ張り、それだけ長く商いをしようという魂胆よ。ゆえに地震が襲ってきた四つはまだ吉原の宵の口、遊客も多く、妓楼《ぎろう》のあちこちに酒宴が繰り広げられていたであろう。そこを未曾有の地震が襲った」

藤之助は供の理由が今明かされようとしていると緊張した。

「吉原は不夜城と呼ばれ、万灯が点《とも》されている。その灯が落ちて吉原じゅうから無数の火の手が上がったと予想される、それだけに火の回りも早かったろう。さらに大門は一つしかなく、吉原会所と面番所が逃亡を防ぐために見張っていた。客を含めて万余の男女があちらこちらへと逃げ惑うさまが目の当たりに見えるようじゃあ」

「ご家老、左京様は」

「おおっ、そのことよ。家臣を出して手を尽くさせたが全く手がかりがない」

「なんということで」

「吉原だけで数千人の人が死んだとも言われる。その大半が焼かれて男女の区別もつかぬほどだ」

「左京様の相方の女郎はいかが致しました」

「その生死も知れぬ」

二人を沈黙が襲った。

沈黙に耐え切れず藤之助が聞いた。

「今宵はなんのためにお出でになられたのでございますか」

「屋敷では改めて座光寺為清様の生死を確かめるべく口の固い二人の者を差し向け、必死で左京様の行方を追わせた」

座光寺家には格別目付のような役職はなかった。だが、その役を果たす者は決められていた。

「猪熊《いのくま》四郎兵衛《しろうべえ》と磐田《いわた》千十郎《せんじゅうろう》の二人だ」

猪熊は初めて聞く名だが磐田はやはり片桐門下の兄弟子で、片桐道場で師範を務めていたこともあった。

藤之助は五、六年前、磐田から稽古を付けてもらった記憶があった。

「三日前、この近くの浅草田圃《たんぼ》の寺の境内で二人が斬り殺されているのが見付かり、土地の御用聞きが屋敷に知らせてきた」

藤之助は凝然と江戸家老を見た。

座光寺家の屋敷に重くおしかかる意味を藤之助はようやく知ったと思った。だが、それは早とちりだった。

「ご家老、左京様の行方知れずと磐田様方の斬殺と関わりがございますので」

「分からぬ」

引田武兵衛が苛立《いらだ》たしげに告げた。そして、また沈黙した。

藤之助は思い切って聞いた。

「それがしに左京様の生死を付き止めよと申されますのか」

「そなた、出来るか」

「江戸には不案内にございますが座光寺家の危機、一命を擲《なげう》っても勤めます」

「片桐神無斎様がなんぞ江戸に不測の事態あらば若い本宮藤之助を役立てよと書状に書いてこられた。思慮もあり、その上に剣の並々ならぬ遣い手であるそうな」

「そのようなことを先生が」

今、藤之助の脳裏に剣の師匠の片桐神無斎が浮かんでいた。茫洋《ぼうよう》とした気性で、「座光寺の知恵袋にして不世出の剣者」と評される老人だ。また座光寺家の財政を建て直したゆえに、「中興の臣」とも呼ばれていた。

引田は吉原を前にして動こうとはしなかった。

「藤之助、座光寺家には伝来の家宝が伝わるを承知か」

また話の矛先《ほこさき》が飛んだ。

「はっ。座光寺領を家康様より朱印状と一緒に与えられた短刀包丁正宗《まさむね》にございますな」

とはいえ藤之助は包丁正宗を見たこともない。

寛永八年（一六三一）、将軍家より与えられた御朱印状には、「信濃国伊那郡山吹村、北駒場村、上平村、竜口村四ヵ村千四百十三石」の知行地が安堵されていると聞いたことがあった。

「いかにも」

引田武兵衛はまたしばし黙り込み、歩き出した。

相模国鎌倉住人正宗は鎌倉末期から南北朝初期に鎌倉に居を構えて短刀を中心に鍛造した名工だ。

包丁正宗はその作であった。

「そなたが座光寺領から負ってきた長剣は本宮家に伝わる藤源次助真か」

「父が御用の役に立てよと貸し与えてくれました」

本宮家の助真もまた座光寺領では知られた一剣だった。

「家光様が座光寺勘左衛門《かんざえもん》様に与えられし御朱印状の短刀を鍛えた正宗はそなたが今腰に差す助真の弟子筋に当たることになる」

「はい」

座光寺家では代がわりの折、この包丁正宗を時の将軍にご覧に入れ、改めて座光寺領を安堵されるという習わしがあると聞いていた。

「当代の座光寺左京為清様は未だこの安堵御目見《おめみえ》を許されておらぬ。われらは幕府に幾度も嘆願して、ようやく左京為清様の家定《いえさだ》様の御目見が決まったところだ」

「それはようございました」

引田がいらぬことを言うなとばかりに藤之助を睨《にら》んだ。

「左京様はあの夜、御蔵から包丁正宗を持ち出されておるのが、行方を絶たれた後に知れた」

藤之助の足が止まった。

「なんということにございますか」

藤之助の動きに合わせて足を止めた引田武兵衛が再びゆっくりと五十間道を下り始めた。

藤之助は慌てて、後を追った。

冠木門の前には町奉行所の隠密廻《おんみつまわ》り同心《どうしん》やら吉原会所の若い衆やらが詰めて、廃墟となった吉原に入る者を止めていた。

引田と藤之助は手拭《てぬぐい》で鼻を押さえて、吉原の中を窺《うかが》った。

真っ直ぐに水道尻《すいどじり》まで伸びる通りは吉原の花道、仲ノ町《なかのまち》だ。だが、左右に万灯の明かりを点《とも》し、粋を競った引手茶屋の残骸が不気味に残って、猛烈な異臭が漂っていた。

「左京様の相方は稲木楼《いなきろう》の瀬紫《せむらさき》と申す遊女だ。この女の生死も分からぬ。というのも必死で吉原の外に逃げ出した遊女もおると想像される。この女たちの中には未曾有の混乱の中で国へと逃げ戻った者もいるやもしれぬ」

と言った引田は冠木門に背を向けた。

藤之助も従った。

二人は再び五十間道を戻り、山谷堀に架かる仮橋を渡った。橋を渡った界隈には地割れが走っていたが、火の粉は降りかからなかったとみえ、なんとか元の家並みを見せていた。

寺町を抜けて、大きな通りに出た。

「この道を進めば隅田川に架かる千住《せんじゅ》大橋に出る。千住宿の先で道は日光《にっこう》道中と大原《おおはら》道に分岐致す」

引田が足を止めたのは熱田《あつた》社《しゃ》という小さな神社の鳥居の前で、通りを挟《はさ》んだ家の障《しょう》子戸《じど》に、

「吉原面番所御用巽屋左右次」

と墨書されていた。

「巽屋《たつみや》は座光寺家と少なからぬ因縁がある。その縁で親分が猪熊と磐田の死骸を始末してくれたのだ」

と説明した引田は、

「藤之助、左右次《そうじ》には左京様の行方が摑めぬことは言ってある。二人がなにを探索に行ったか説明する要があったでな。だが、包丁正宗のことは話してない。そう心得

よ」

藤之助は頷いた。

「左右次が面番所の御用聞きということもあり、稲木楼の焼け跡に人を入れて、左京様の死骸か、佩刀《はいとう》など証拠になるものがあるかないか調べてくれと極秘に頼んである」

引田の言葉には御用聞きに大金が渡った響きがあった。

「今後、どうなるか分からぬ。藤之助、吉原の惨状を見たであろう、そう調べが進んだとも思えぬ。そなたは巽屋左右次の手引きでなんとか左京様の生死を確かめ、包丁正宗を探し出せ」

「短刀が燃えたとは考えられませぬか」

「紅蓮《ぐれん》の炎と鞴《ふいご》の炎のどちらが熱いか知らぬ。だが、包丁正宗が鞴の炎に耐えたのなら火事にも耐えられよう。拵えはどうとでもなる」

「ご家老、お聞きしてようございますか」

「申せ」

「万が一、左京為清様がお亡くなりになったことが判明した暁《あかつき》にはどうなされますか」

「身代わりを立てるまでよ」

とあっさりと答えた引田武兵衛は、

「藤之助、人の身代わりはなんとでもなる。だがな、包丁正宗の代わりはないと思え」

と言った。

「そなたの役目は相分かったな」

「左京為清様の生死を確かめ、包丁正宗の行方を突き止めることにございますな」

「いかにも」

と答えた引田が一拍置いて言い切った。

「巽屋左右次は老練な御用聞きだ、これまで評判も悪くはない。だがな、藤之助、すべてを信用するでない。まず座光寺家専一に行動せよ」

「はっ」

と畏まったところで引田武兵衛が戸口に歩み寄った。

四

「御免」

武兵衛は自ら障子戸を引き開けた。

藤之助は慌てて提灯《ちょうちん》の明かりを吹き消した。

若い衆が奥から出て来たがその全身に重い疲労と煤《すす》のような汚れがこびり付いていた。そして、吉原で嗅《か》いだと同じ死臭が漂ってきた。

「左右次親分はおられるか」

「へえっ」

「座光寺家の家老が来たと伝えてくれぬか」

若い衆が引っ込み、すぐに姿を見せて、

「どうぞこちらに」

と二人を神棚のある居間に招じ上げた。

長火鉢の前に初老の御用聞きが疲弊《ひへい》し切った顔で座っていた。

「巽屋、災難の最中に面倒をかける」

「わっしらもたった今、吉原から戻ってきたところなんで。いつになったら死骸の始末に手がつけられるのか」

と嘆いた。

「巽屋、どうであったな」

「まずは引田様、お座り下せえ」

と言いながら左右次はちらりと藤之助を見た。

引田が左右次に対面するように座り、藤之助は敷居際に控えた。

左右次が煙草盆《たばこぼん》を引き寄せ、煙管《きせる》に刻みを詰めると雁首を長火鉢の炭火に翳《かざ》して火を点《つ》けた。

ふうっ
と一服した左右次は顔を横に振り、

「稲木楼に人足を入れさせた上にわっしの子分も手に加えましたが、あれは地獄だ。死骸がごろごろしてだれがだれだか区別なんて付くもんじゃねえ」

と重く吐き出した。

「分からぬか」

「だれが調べようとどの死骸が座光寺為清様かなんて金輪際《こんりんざい》わかりません」

と言い切った左右次が、

「こちらだけではねえんで。廓内《くるわ》で同じようにお武家様や大店《おおだな》の主を探そうとしている連中がおりましたがねえ、だれ一人としてこれがと見当が付いたところはないんですぜ」

「相分かった」

と答えた引田も重苦しい息を一つ肩で吐《つ》いた。

「吉原の後始末はいつから始まるな」

「妓楼の主は仮宅《かりたく》（仮営業）を一日でも早く始めてえ。そこで吉原にも手を入れて一気に後片付けに入りたいと言ってまさあ。明朝にも人足が入るかもしれませんぜ」

「そうなると万事休すか」

「諸行無常、死んだ人間にかかずり合わないのが吉原でしてねえ。一切合切死骸を浄《じょう》閑寺《かんじ》の境内に掘った穴に放り込んで商いを再開したい一心でさあ」

「冷たいのう」

「引田様、この吉原では楼主は忘八《ぼうはち》と呼ばれてましてねえ、孝、悌、忠、信、礼、義、廉、そして、恥《ち》の凡《すべ》てを忘れた人間でさあ。いや、忘れなければ成り立たないのが吉原なんで」

引田武兵衛が小さく頷き、しばし沈黙した。

「どうなさいますな」

「左京様はなんとか吉原の外に逃げ出されたということも考えられよう」

左右次が溜息を吐いたが言葉にはしなかった。その態度が真実を物語っていると藤之助は考えた。

「親分、座光寺家はわずかな望みに託すしか手は残されておらぬのだ。分かってくれぬか」

「へえっ、長い付き合いだ。その苦衷《くちゅう》は承知してますがねえ。どうなさろうというので」

「連れてきた者を残す、しばらく親分の下へ置いてくれぬか。望みがある限り左京様の行方を突き止めたいのだ」

「分かりました」

と左右次があっさりと答え、引田が立ち上がった。

藤之助も見送るつもりで引田に従った。

巽屋の一家はその場から動こうともしなかった。精も根も尽き果てたという感じであった。

「ご家老、お一人でお帰りになられますか」

じろりと見た引田が、

「江戸育ちだぞ。わが身くらいなんとでも処することは出来るわ」

と答え、懐からもそもそと巾着《きんちゃく》を引き出した。

「そなたが伊那谷から身に着けてきた巾着じゃあ。所持した金子に三両ばかり加えて入れてある。これからどうなるか分からぬ、望みがある限り、左京様の生死と包丁正宗の行方を追え」

「畏まりました」

引田武兵衛はそう言い残すと南に向かってすたすたと姿を消した。

藤之助が見送る視界の中に暖をとる被災した者たちが燃やす焚き火が鬼火のようにあちらでもこちらでも浮かんでいた。

藤之助はしばし門口でどうしたものかと考えを纏《まと》めた。そして、再び巽屋に戻った。

重い沈黙が漂う居間では大徳利《おおとつくり》に茶碗が回され、左右次が口を付けたところだった。

「本宮藤之助と申す。江戸に出てきたばかり、西も東も分からぬ田舎者にござる」

左右次が藤之助を見て、

「伊那の座光寺領からえらいときに江戸に出てきなすったねえ」

と同情するように言った。

藤之助が江戸に出てきた経緯《いきさつ》を話すと、

「伊那谷から二昼夜で江戸に着かれましたかえ。こりゃ、驚いたねえ」

と改めて藤之助の面構えを、体を見た。

「兎之吉《うのきち》」

と子分の一人に顎《あご》で藤之助に茶碗酒を渡すように命じた。苦味走った顔付きの子分が動こうとするのを制した藤之助は、

「親分、明日にも吉原には人足が入ると申されたな」

と念を押した。

「そんな世界が吉原なんで」

「後片付けが終わらぬうちに稲木楼の焼け跡を見てみたいのだが」

左右次が藤之助を見て怒りに顔を染めたが、さすがに老練な親分だ。

すうっ
と高ぶった己の感情を鎮めた。

「お気持ちは分からないじゃねえ。だが、これから、吉原に戻るのは殺生だ。一日じゅう地獄を這いずり回っていたんですぜ」

「無理を申す」

藤之助は畳に頭が付くほどに下げた。

「頭を上げて下せえ、話にもならねえ」

藤之助は頭を上げた。

腕組みし考えていた左右次が消えかけた煙管《きせる》を口に咥《くわ》え、消えかけた一服を吸うと煙草盆に灰を落とした。

「ようがす、こうしやしょう。わっしらもちいとばかり横になりてえ。おまえさんだって伊那谷から走り通してきて、わずかな刻限しか休んでねえ様子だ。明け方まで互いに体を休め、それから気を取り直して出かけるというのはどうだす。わっしが案内します」

「それまでだれも手を付けることはないな」

「だれがあの地獄に戻ろうという者がいるものですか」

「承知した」

「飲みなせえ。それで一時、体を休めましょうや」

左右次が最後は優しく藤之助に言った。

茶碗酒が差し出され、藤之助は生まれて初めて澄み切った下《くだ》り酒を口に含んだ。

半籬《はんまがき》の稲木楼は角《すみ》町の中ほどにあった。まだ暗い七つ半（午前五時）の刻限、二階屋が燃え落ちた妓楼には焼け焦げた肉の臭いが濃く漂い、重ね折った紙を巻き込んだ手拭で鼻孔を覆った藤之助の鼻に容赦なく襲いきた。

藤之助は言葉もなく呆然と立っていた。

「お分かりになりましたかえ」

くぐもった左右次の声が響いた。同じように手拭で口を覆った親分の声が藤之助に聞いた。

「これほどまでとは……」

「花魁《おいらん》と住人合わせて一万五千人あまりが住み暮らしてきた吉原です。生き残ったと確かめられるのは半分ほどだ。残りの半分はあの騒ぎの中、鉄漿溝《おはぐろどぶ》を越えて逃げたか、焼け死んだかどっちかだ。ここには本宮様、今も何千人もの人間が生焼けのままに横たわっているんで。これを地獄と言わずしてなにを地獄と言うんで」

左右次の言葉には言い知れぬ憤《いきどお》りと悲しみがあった。

朝の光がうっすらと差してきた。すると朝靄《あさもや》が漂う中にさらに地獄が鮮明に浮かび上がった。

藤之助の眼前の焼け焦げた梁《はり》の間から突き出ているのは人の手だった。真っ黒に焼

けた手の一部から骨が見え、その手は明らかに、

「生」

を求めて必死に虚空に差し伸ばされ、それがなんの役にも立たなかったことを示して固まっていた。

「本宮様、わっしらがやれることは昨日やり尽くしました。嘘でもなんでもねえ、こんな有様だ。座光寺の若殿様の死骸を見つけ出すなんて、無理なこった」

明るくなった朝の光が地獄の全貌を明らかにした。焼け残った材木や土壁の下に何体もの死骸があった。

「稲木楼の焼け跡だけで十数人の死骸が残ってます。こんな妓楼が五丁町《ごちょうまち》じゅうに広がっているんですぜ」

五丁町とは吉原の呼び名の一つで、元吉原《もとよしわら》以来、江戸町一丁目、江戸町二丁目、京町一丁目、京町二丁目、それに角町と五つの通りから成り立っていることから呼ばれるのだと、左右次は藤之助に教えた。

「五丁町の東と西には安女郎が待ち受ける羅生門《らしょうもん》河岸と西河岸の切見世《きりみせ》がございましたがな、こっちはこんなもんじゃやねえ」

二人の背後でなにか引《ひ》き摺《ず》るような音が響いた。

朝靄の中、筵《むしろ》の上に死骸を載せて大門口へと引き摺っていく男の姿が見えた。

「吉原に接して車善七《くるまぜんしち》の浅草溜めがございましてな、ここの連中が死骸の片付けをやってくれているんですが、きりがねえや」

藤之助は左右次を振り返った。

長年吉原会所の面番所に関わってきたという御用聞きが分かりましたかという顔で藤之助を見返した。

「親分、無理を申したい」

「なんですな」

「この稲木楼の後片付けにそれがしを加えてくれぬか」

左右次が藤之助をじっと睨《にら》んだ。

藤之助はその視線を静かに受けた。

「おまえさん、年は若いが腹の据《す》わった侍のようだねえ。この地獄を見た者は逃げ出すか喚《わめ》き出すかするものだが、平然としておられる」

「親分、平然などという気持ちではござらぬ。ただ耐えているだけでござる」

「まあいい。おまえさんがその気なれば、人足の一人に加わってもらいましょう」

と左右次が藤之助の望みを聞いてくれた。

二人は仲之町の通りに戻った。

さすがに吉原を南北に貫く百三十五間の通りは死骸や焼け焦げた残骸は片付けられていた。だが、ところどころに黒焦げの死体の山が見えた。その山から未だ肉がくすぶり焼ける煙が立ち昇り、音まで聞こえてきそうな様子だった。

二人は大門口に歩いていった。

「おまえさんは吉原が初めてと仰《おつしや》るから申し上げておきましょうかな。ほれ、大門の右手が吉原会所と申して、廓内のすべてのことを取り締まる番屋なんで。反対の左手は町奉行所の隠密廻りの与力同心が詰められておられる御番所なんでさあ。番屋の衆を監督差配するのが町奉行所面番所と考えられても構いません」

吉原会所も面番所も燃え落ちて整地された狭い場所に小屋が建てられてあった。だが、まだ朝も早く小屋の中で仮眠を取っている様子があった。

大門を出たところで巽屋の左右次が、どうしますかという顔で藤之助を見た。若い藤之助の度量を試している様子でもあった。

「親分、座光寺家の家臣二人が騒ぎの直後、斬り殺されているのがこの界隈で見付かったそうだが、その場を見てみたい」

「わっしらは座光寺家の猪熊四郎兵衛様と磐田千十郎様が若殿様を探しに来られてい

たなんて、全く知らなかったんでさあ、もっともこの騒ぎの最中じゃねえ」

と左右次は言い訳し、藤之助を大門の北側へと案内するように進み、吉原を囲む鉄漿溝に沿ってさらに西へと曲がり込み、吉原の異臭から離れた。

吉原の周辺には刈り入れを終えた田圃《たんぼ》が広がり、二人はほっと息を吐くと口を覆った手拭を同時に外した。

「寺男に知らされて破れ寺に駆け付けますと二人のお武家が、一人は袈裟《けさ》掛《が》けに、もう一人は首を刎《は》ね斬られて倒れておりました。死後一日半ばかりが過ぎた様子でねえ。懐中物を探って鑑札を見付け、座光寺家のご家来衆と分かりましたんで、それで引田様に使いを立てたってわけなんですよ」

「親分、なぜ二人が殺されたか分からぬか」

左右次は首を横に振った。

「地震の直後に起こった火事の最中、引田様は若殿様の身を案じなされてお二人を吉原に急ぎ走らせたと申されました。ですが、二人がなぜ吉原からちょいと離れたあの破れ寺を訪ねたか、なぜ殺されたか全く調べがついてないんでさあ」

大地震と火事の後始末でそれどころではないのが実情だ。こんな大騒ぎの中、武家が二人殺されたからといって探索に割ける余裕などどこにもなかった。

左右次が足を止めたのは吉原から西北に数丁ほど離れた田圃の中に立つ寺だった。

「浄土宗の塔玄寺《とうげんじ》ですがねえ、十数年前に廃寺になってそのまま荒れ放題になったままなんで。近くの長国寺《ちょうこくじ》の寺男がねえ、明かりがちらちらとしていた晩があったことを思い出して見に来て、二人の斬殺された死骸を見付けたのでさあ」

左右次は壊れかけた山門の扉の間から境内に潜り込んだ。

藤之助も続いた。

枝が伸び放題の銀杏《いちょう》の木の下には芒《すすき》が境内を覆い尽くすように生えていた。芒の穂には所々に火事の炎を受けたか焼け焦げた跡があった。

左右次親分は本堂を正面に見て、右手の芒の間に分け入った。するとそこには墓石が転がった荒れ墓地が広がっていた。

「猪熊様はこの墓石のかたわらに、磐田様はあちらに倒れた墓石に寄りかかるように殺されておられました」

左右次は三間ばかり離れてある、二つの乱れた足跡を指した。

「磐田様方には刀を抜かれた跡がござったか」

「猪熊様の刀は鞘《さや》の中でしたが、磐田様は刀を抜かれて応戦された様子がございました」

「磐田様はそれがしの兄弟子にござってな、剣の腕前はなかなかのものでした。それを一撃で斃《たお》すとは手練《てだ》れにございますな」

藤之助の言葉に左右次は頷きながらも訝《いぶか》しい顔をした。

「猪熊様は抵抗なされた様子が全くない、その顔には驚きの表情が残っていた。磐田様は確かに刀を抜かれておられましたが、刃こぼれ一つしてないところを見るとこちらも必死で応戦したとも思えない。手練れなのか、なにか事情があってお二人は手を止められたか。ともかく一太刀で二人は絶命だ」

藤之助は朝靄が薄く這《は》う墓地を見回しながら、二人の家臣が倒れていた場所をゆっくりと歩いた。

「親分、猪熊様と磐田様は左京様の安否を確かめに吉原に来られた。そのことと二人の死は関わりがござろうか」

「さっきも申し上げましたがこちらの騒ぎには全く手をつけてねえんで」

と繰り返した左右次は、

「引田様の命で二人が吉原に駆けつけられましたのは地震が江戸を見舞った翌日の明け方にございましたそうな。その当時、まだ吉原は猛炎に包まれていたはずにございます。お二人は吉原に近付くことすら出来なかったと思えます。あの刻限、吉原の内外は鷲《おおとり》神社の祭礼の混雑を何十倍にしたような騒ぎでしてな、阿鼻叫喚《あびきょうかん》とはあのようなことを申すのでございましょうかな。お二人はそんな混乱の中になにか不審なものを見られて、ここまで来られたと考えるのが一番分かり易《やす》い」

藤之助は頷いた。

「本宮様、御用聞きの勘《かん》で申し上げるならば、わっしには関わりがあると思えます」

老練の町方が明確に答えた。

「お二人の懐中物は残されておりました。火事場泥棒に襲われたわけではございませんや」

「やはり座光寺家の当主左京為清様の生死を探しに来たことと関わりがあるか」

藤之助が呟き、辺りに目を配った。

左右次も異変に気付いて身構えた。

墓石と芒の背後から四人の男たちが姿を見せた。だれ一人として屋敷奉公の侍ではなかった。長いこと浪々の身で、身過ぎ世過ぎを血腥《ちなまぐさ》い仕事で生き抜いてきた殺気が漂っていた。

「おまえさん方はだれだえ」

巽屋の左右次が問いかけた。

だが、だれも答えなかった。

四人が抜刀した。

藤之助は姿を見せぬ頭目がいることを察しながら、

「親分、この場は任されよ」

と頼んだ。

「本宮様、こやつら、修羅場を潜って生き抜いてきた餓狼《がろう》でございますよ。気を付けて下せえ」

「承知した」

四人が藤之助を半円に囲んだ。

藤之助は草履《ぞうり》を後方に跳ね飛ばして脱いだ。そうしながら四人のうち、遣《つか》い手はだれか探った。

真ん中の二人が手練れと見た。

だが、磐田千十郎を斃《たお》すほどの達人とも思えなかった。

藤之助は真剣勝負が初めてだった。だが、恐怖は感じなかった。伊那谷で長年修業してきた技を試したい欲望だけが五尺九寸余の五体に漲《みなぎ》っていた。

蔵にあった藤源次助真を父に内緒で何度も腰に差し、抜き打つ稽古を重ねてきて掌にその感触を覚え込ませていた。

四人は修羅場を潜って生き抜いてきた余裕を見せていた。

若い藤之助がまだ剣の柄に手をかけてないことを臆したかと考えていた。

「そなた、流儀はなにか」

藤之助が手練れと見た一人が聞いた。

「信濃一傳流」

「聞いたこともない剣法だな」

「田舎剣法にござろう」

中央に立つ二人が言い合った。

藤之助は背筋をぴーんと立てるように姿勢を正した。

四人がそれぞれの剣を正眼に、八双に、上段に構えた。

藤之助の裸足の足裏が墓地の土の上をじりじりと蟹の足のように動き、両の足が広がった。

腰が沈んだ。

助真が天を衝いた。

藤之助は信濃一傳流に創意を加えた

「天竜暴れ水」

を試してみようと考えていた。

間合いは中央の二人まで一間半。

藤之助の双眸《そうぼう》が中央の二人を等分に捉《とら》え、

「参る」

と呟いた。

「おうっ！」

相手が応じた。

直後、同時に仕掛けた。

巽屋の左右次は腰を落とした若い藤之助が二人の真ん中に走り込みながら、助真を振るったのを見た。

相手も同時に八双の剣を振り下ろしつつ走り込んできた。

だが、勢いが、迅速さがまるで違った。

藤之助の剣の切っ先が白く光りながら円弧を描く軌跡の中に二人の剣客が、
すっぽり
と嵌《はま》り込んだ。

次の瞬間、二つの胴がいとも簡単に抜かれた。

力任せの胴斬りが決まった直後、藤之助が右手に飛び、右端の刺客の構えた剣を勢いで弾き飛ばすと、虚空に振り上げた剣を鋭く引き付けて棒立ちの肩口を強引に斬り割っていた。

天竜川が荒れる時期、流れは奔流し、飛沫《しぶき》は八方に飛んだ。

天竜暴れ水はどこへ狙いを定めているか分からぬように八方睨《にら》みで攻撃する秘剣だ。

だが、三人目に攻撃を転じた瞬間から、天竜暴れ水は藤之助の思い描いた刃の軌跡とずれが生じていた。それでも三人が朽ち木の倒れるように崩れるのを尻目に四人目の許に走り寄り、腰の退けた相手の胴を片手殴りに両断していた。

ぱあっ
と藤之助が跳び下がったとき、左右次は戦いの間が寸余かからなかったことを考えていた。

藤之助はこの戦いをどこからか見詰《みつ》める目を意識しながら助真に血振りをくれた。

そして、

（まだまだ技は粗削りじゃ）

と考えていた。

鞘に助真を納めたとき、左右次が、

「伊那衆の気風、とくと拝見させて貰《もら》いましたぜ」

と感に堪《た》えた声を上げた。

それが本宮藤之助の初陣であった。

第二章　左京追跡

一

左右次《そうじ》は破れ寺を出たとき、藤之助《とうのすけ》に言った。

「やはりこいつは座光寺左京為清《ためすが》様の生死に関わりございますぜ。わっしらの知らねえことがなんだかありそうだ」

寺には四人の刺客の亡骸《なきがら》が残されていた。

藤之助はどうしたものかとそちらを振り返った。

「うっちゃっておきなせえ。江戸じゅうに何千という死骸が転がっているんだ。その始末が先ですって」

と答えた左右次が聞いた。

「本宮《ほんぐう》様、これからどうなさいますな」

「左京様が通われた妓楼《ぎろう》の主どのは健在であろうか」

「仮宅営業を目指して走り回っている甲右衛門《こうえもん》さんの姿をちらりと見かけました、生きていまさあ」

「どちらに行けば会えるな」

「仮宅の営業場所は浅草、本所、深川界隈の料理茶屋などを借り受けて開くのが習わしでしてね、浅草の山ノ宿に仮宅を移そうと画策していますがねえ、なにせこの惨状だ、早々には開けますまいぜ。ただ今、生き残った稲木楼の女郎と男衆はうちの近くの殺伝寺《さつでんじ》に借り住まいしてまさあ。訪ねてみますかえ」

藤之助は頷いた。

左右次は山谷堀へと歩きながら藤之助にいろいろと教えてくれた。

江戸の中心部にあった元吉原から浅草田圃《たんぼ》に新吉原の移転が命じられたのが明暦《めいれき》三年（一六五七）の大火後のことだという。

その明暦三年から幕末までの二百十年間に新吉原が火事に見舞われ、仮宅での商売を続けた回数は二十余回を数えることになる。

老練な御用聞きは伊那谷から一度も休むことなく走り通してきた若武者を好きにな

りかけていたのだ。

安政の大地震は吉原だけが燃えたのではない。大袈裟《おおげさ》に言えば江戸そのものが壊滅的に打撃を受けたのであり、機能が完全に麻痺《まひ》していた。そして、未だ余震は繰り返し続いていた。

「幕府は早々に此度《こたび》の仮宅を五百日と定められました。甲右衛門ら妓楼の主は一日でも早い見世《みせ》開きを願ってますのさ」

早々に仮宅を設けたところで死骸の後始末もつかないのだ、客がいるわけもあるまいと藤之助は考えていた。そんな藤之助の気持ちを読んだ左右次が、

「吉原の賑々《にぎにぎ》しくも勿体《もったい》ぶった習わしから解き放たれるのが仮宅なんで。遊び代も安いってんで結構客が押しかけるものでございますよ」

「親分、地獄のようなこの世でだれが女郎を買いに走るのだ」

「本宮様はまだお若いや。人間の欲望はきりがねえ、こんな地獄だからこそ女郎との愛欲に現《うつつ》を忘れたいという男は世の中にいるものなんで。実際、大工、左官、建具屋、職人はこんなときが稼ぎ時、日銭を懐に持っているものなんですよ」

伊那谷に生まれ育った藤之助には理解のつかない遊興の世界だった。

山谷堀を渡ると空気も清々《すがすが》しく変わった。それでも長閑《のどか》な町外れを殺伐とした空気

が走るときがあった。

大八車に山積みにされた焼死体を寺に運び込む光景に出会ったときだ。死んだ者に対して尊敬の念もなく運び手も殺気だっていた。

「ほれ、どけどけ、死骸《しげえ》のお通りだ」

通りの端に避けた男らが、

「そんなに急いでどこへ運ぶんだよ」

「入会地に掘られた大穴よ、行き先はあの世だな」

「この世が地獄だ、極楽が待っているぜ。南無阿弥陀仏《なむあみだぶつ》……」

と片手拝みに合掌《がっしょう》し合ったときには大八車はもう十間先を走っていた。

そんな町外れを抜けて、さほど大きくもない殺伝寺の門前に到着した。ここが吉原の半籬《はんまがき》稲木楼の仮住まいだった。

寺門を潜るといきなり長襦袢《ながじゅばん》に汚れた内掛けをだらしなく体に巻き付けた遊女たち五、六人が日向ぼっこをしている光景に出くわした。

「親分さん、そっちの若侍はだれだねえ、暇を持て余してるんだ。遊ばせちゃくれまいか」

年増の女郎が左右次に言いかけた。

日差しの下、化粧に焼けた素顔は深い絶望を飲んだ虚無の表情を見せていた。

「一初《いちはつ》、止めておきねえ。このお方は瀬紫の客だった座光寺家のご家来だ」

「瀬紫か、そんな名の太夫《たゆう》もいたっけな」

「冷たい言葉だな、行方を絶ってまだ十日と過ぎてねえぜ」

「親分、百年の歳月が過ぎたようだよ」

「全くだ」

左右次も一初と呼ばれた女に応じた。

「一初と申すか。左京様の最期を見た者が知りたいのだがおらぬか」

藤之助が聞いた。

「お豆《まめ》、おまえが逃げ惑う座光寺様と瀬紫を見たといわなかったか」

一初にお豆と呼ばれたのは女郎の間に放心したように座り込む十二、三の少女だった。

「あーい、見たような見ないような、夢かほんとか今考えてもよう分かりませぬ」

尾を引くような甲高い声でお豆が答えた。

「いいからさ、このお侍に話してみな」

姉様株の一初がお豆に命じた。

その様子を確かめた左右次は、

「わっしは甲右衛門を探してきますぜ」

と藤之助に言い残して庫裏《くり》のほうに歩いていった。

「あーい、大鯰《おおなまず》が悪さをしたとき、お豆は厠《かわや》の前におりました。いきなり床が持ち上げられたようで廊下をごろごろ転がりました」

「そんなことはもういいんだよ、だれもが身に染みて承知だ。座光寺の殿様と瀬紫太夫を見たときの話をしな」

「あーい、楼じゅう物が転がった間を炎が走りました、私はまだ廊下の角で腰を抜かしておりました。そのとき、瀬紫姉様と客のお侍が打掛けを頭から被《かぶ》って大階段のほうへ走っていったような気がしました。でも、それが……」

「……ほんとのことかどうか分からないというんだろう」

「あーい、一初姉様」

藤之助は未曾有《みぞう》の地震と火事に打ちのめされた少女に頷き返し、

「つらいことを思い出させたな」

と謝った。

「お侍、うちの楼で朋輩《ほうばい》や客が何人死んだか、まだ分からないのさ」

「焼け跡を見た」

「死骸が残っていたかえ」

藤之助は頷いた。

「生き残った楼の方々は何人だな」

「うちは女衆がお豆まで入れて十二人、裏方の男衆と女衆で十七人、主夫婦を入れて三十一人の中所帯さ。それがこの寺にいるのは二十人、残りの十一人が死んだか、逃げたか、行方が分からないのさ。これに客が加わるとなるとうちだけでどれだけの人が命を失ったか」

そう答えた一初の瞼《まぶた》からぼろぼろと涙が溢《あふ》れてきた。

本堂の前で左右次が羽織を着た男と話していたが、手を振って藤之助を呼んだ。

「すまなかったな」

藤之助は女たちに謝り、左右次のほうへと行った。

「本宮様、妓楼の主の甲右衛門さんですよ」

「座光寺様のご家来衆だそうですねえ。何度か問い合わせがございまして、私どもも殿様の行方を突き止めようと聞いては回ったのでございますが、なにしろ吉原じゅうの床も壁も梁《はり》も落ち、簞笥なんぞがひっくり返ったところに炎があちこちから襲いかかり、逃げ惑うのに必死でだれも他人のことなどかまっちゃいられないというのが正直なところなんでございますよ。座光寺様がどうなられたか、瀬紫がどこで死んだのか、まだ皆目推量もつきません」

甲右衛門が一気に吐き出した。

「ただ今、お豆と申す娘に左京様と瀬紫らしい二人が逃げる姿を見たようだと聞いたのだが」

「お豆の話などあてになるものですか。お侍、あの地震と火事を身近に体験した者でなければこの考えは納得してもらえますまい。現《うつつ》と夢が一気に襲いかかったようで、時がどれほど流れたかも分かりはしませんや。ほんとうになにがなんだか分からないのが実情でございますよ」

首肯《しゆこう》した藤之助は、

「こちらにわが座光寺家の猪熊様と磐田様が左京様の行方を聞きに参られたことがござろうか」

「親分さんから聞きましたが、私は覚えがございませんので」

と甲右衛門が答えて、もう話は打ち切りにしたいという様子を見せた。

「本宮様、稲木楼はこの昼からにも後片付けに入るそうなんでございますよ。ほんとうに本宮様が人足の真似事をしたいと申されるならば、旦那は構わないと申されておられます」

「主どの、すまぬ。足手まといにはならぬように致す。それがしを加えてくれ」

「ようございますが、座光寺様の死骸がこれだと分かる見込みは爪の先もございませんよ」

「左京為清様の生死が分からぬ限り座光寺家の明日はないと思えと、きつくご家老に命じられてこちらに参ったのだ」

「本宮様、この惨状だ。大名家や旗本の屋敷でも当主や嫡男が亡くなった例は少なくございませんぜ。此度ばかりは幕府も跡継ぎのことをそう小うるさく申されますまい」

「他家は他家、座光寺家は座光寺家にござる」

「その若さで地獄を這い回ることもあるまいがご当人の願いだ、致し方ございませぬな」

と答えた左右次が、

「ともかくそのお召し物では人足はできますまい。うちに一度戻りましょうか、ぼろ着でもかかあに出させますさあ」

と諦めたように言った。

稲木楼の甲右衛門がなんとか手当てをした人足が五人、中には腰の曲がった年寄も一人混じっていた。

その中にあって頰かむりに縞木綿の古着に股引《ももひき》、足袋《たび》に草鞋《わらじ》をしっかりと履《は》いた本宮藤之助の体格と若さは群を抜いて目立った。

その腰には伊那谷から持参した小鉈だけが差し落とされていた。刃渡り四寸余の小鉈は使い慣れた得物だ、時には武器の代用にもなった。

「いいかね、半日でも早く後片付けを終えて下されよ。その分、お浄め料は払いますよ」

甲右衛門が人足たちに声をかけると番頭の和平《わへい》に、

「いいねえ、手を休めないように見張るのですよ」

と命じてそそくさとその場を離れた。

だが、その見張りには含みがあったことを後に藤之助は知ることになる。

二階家の稲木楼の屋根も床も抜けていた。焼けて黒焦げの柱だけが林立しているところもあった。まず人足を指揮する園之吉《そのきち》が、林立する柱を倒すように命じた。

藤之助たちは長柄の鳶口《とびくち》や縄を使い、焼け焦げた柱を押し倒し、角町へと運んだ。柱の立っていた場所の燃えた床を浚《さら》う作業を始めた。するといきなり蒸し焼きになった死体が二体出てきた。

「わあっ！」

人足の一人が飛び下がった。

人足たちは地震の翌日から死骸の後片付けを続けてきたのだ。もはや焼死体には驚かなかった。だが、一体の死骸は顔がうつ伏せになっていたせいか燃え残り、首から下の黒焦げの胸部や腹部と際立った違いを見せて、かえって壮絶な印象を与えた。

「なんてこった、雛菊《ひなぎく》だよ」

番頭の和平がその顔を見て叫び、角町の通りに走り出ると吐き出した。

「番頭どの、水をくれぬか」

吐き終えて青い顔の番頭に頼んだ。

和平が雛菊の顔を見ないようにして茶碗に水をくれた。

藤之助は雛菊の口に手拭《てぬぐい》に浸した水を湿らせた。猛炎の中、最後まで求めたものが水であろうと思ったからだ。

そんな藤之助の様子を人足たちがただ見詰めていた。

二つの遺体を筵《むしろ》に丁寧に包み、藤之助と園之吉は黙々と角町の死骸置き場に運んでいった。そして、藤之助は遺体に忍手《しのびて》をした。

神葬祭では音を立てぬように忍手で行った。

遅々とした作業は日暮れまで続いた。

藤之助は死骸を発見するたびに男か女か、なにか座光寺左京為清を示す衣類や持ち物はないかと仔細《しさい》に調べたが、左京と思われる死骸にはぶつからなかった。

二日目、帳場付近の刀掛けから三振りの大刀と脇差《わきざし》が出てきた。

藤之助は焼け焦げているがかろうじて形を留《とど》める脇差の刃渡りや鍔《つば》や拵《こしら》えなどから包丁正宗に類するものを探したが、どう見ても包丁正宗と思《おぼ》しき逸品はなかった。それでも焼け焦げた大小は取り分けて、筵に包み、左右次の家まで持ち帰った。後々、仔細に調べるためだ。

その様子を左右次は黙って見ていた。

稲木楼の後片付けに三日を要した。焼け跡から出てきた死体は全部で九つであった。

そのうち子供と思しき二体と雛菊だけが女ということが分かっただけで、残りの六体は性別も年齢も全く区別つかないものだった。

性別のつかない死体の近くから脇差と思える刃物の残骸が見付かったがぼろぼろに焼け焦げたものからなんの手がかりも得られなかった。

藤之助は稲木楼から出た焼死体を集めて神葬祭の真似事を執り行った。その場に稲木楼の甲右衛門が顔を出し、

「なんと弔《とむら》いまでしてくれましたか」

と感激の面持ちを見せた。

「これからさきは私どもが引き継ぎますよ」

甲右衛門は稲木楼の地下の金蔵を探る作業を番頭の和平に命じた。

火事の多い江戸の商家では蔵の下などに穴蔵を掘り抜き、水を溜《た》めて、火事があったときには銭箱やら大事な財産を投げ込み、その上に砂を掛けて防ぐ仕組みになっていた。そのために大店では穴蔵近くに砂袋が用意されていた。

藤之助は巽屋に戻ろうと大門前まできたとき、引田武兵衛とばったり会った。

供は座光寺領を一緒に出た田野村陣吉《たのむらじんきち》で、陣吉は大門の内側、仲之町に積まれた死骸の山の光景とそれが放つ悪臭に顔面蒼白になり、必死で吐き気を堪《こら》えていた。

「藤之助、どうだ」

藤之助は顔を横に振り、

「六体の中に左京為清様が混じっておられるかどうか分かりませぬ。またお豆の証言をもしほんとのことと考えれば、妓楼の外で猛炎に包まれた可能性もございます。となればすでに始末された死体の中に混じっておることも考えられます」

鼻を手拭で押さえた引田が頷いた。

「類似した短刀はどうだ」

「短刀はございませぬが、脇差か道中差《どうちゅうざし》と思えるものが四本出てきております。ご家老が考えられる以上にその損傷は激しく傷んでおります。屋敷にお持ち帰りください。その判別は難しいかと思われます」

「うーむ」

「ただ」

「ただなんだ、藤之助」

藤之助は猪熊と磐田が殺されていた破れ寺で経験した事件を告げた。

引田武兵衛はしばし沈思した。長い沈黙のあと、

ふうっ

と吐息を吐《つ》いた。

「分からぬ、分からぬことばかりじゃぞ、藤之助」

田野村がいよいよ我慢できなくなったか、

「御免」

というと通りの端に走り、吐き出した。それを引田は悲しみとも怒りともつかぬ目で追いながら、

「伊那衆の気概は早や消え失せたか」

と嘆いた。

「ご家老、なにを致しますか」

「なんぞわれらが知らぬことが隠されているように見受けられる」

再び黙り込んだ引田が、

「藤之助、そなたが襲われたことによって、猪熊と磐田が殺されたことに意味があることが判明したと思わぬか」

「巽屋の左右次親分も同じことを考えておられます」

「よし、そなたは今しばらく巽屋に残り、探索を続けよ」

「承知しました」

「陣屋家老の片桐神無斎様から書状が届いた。そなたらと行き違いになった私の手紙を読まれた陣屋家老はともかく左京為清様の生死がはっきりするまで探索せよと命じ

てこられた。藤之助、そなたの調べは大事なことぞ」

「はっ」

「よいな、屋敷にそなたが戻るときはなんぞはっきりとした証拠を見つけた時だ。それ以外、牛込山伏町に姿を見せることはならぬ」

「畏まりました」

引田がふいに鼻を塞いだ手拭を外し、

「藤之助、そなたの体にも死臭が染み付いたわ」

と言った。

引田は田野村に焼け焦げた刀剣を持たせて吉原を後にした。

その日、山谷の巽屋に戻ると左右次が、

「稲木楼の後片付けは終わったそうですな」

「なんとか始末をつけました」

「ようやりなさいました」

左右次が藤之助を褒《ほ》めると、

「ちょいとお付き合い下さいな」

と玄関先から再び外へと出した。左右次が藤之助を連れていったのは殺伝寺の井戸端だ。

「ちょいと冷てえがここで汚れをざっと落としなせえ」

と藤之助を下帯一つにさせ、自ら汲《く》んだ釣瓶《つるべ》で藤之助の頭から何杯も水をかけて体に染み付いた死臭と汚れを流してくれた。

そんな簡単なことで汚れがおちるわけもないほど全身の皮膚の穴から地獄の臭いが染み込んでいた。

何杯も水を被《かぶ》るうちに藤之助は体の芯からぽかぽかとした温もりが生じるのを感じた。そして、心の中に清々しい風が吹き通ったようで清涼な気持ちにさえさせられた。

「まあ、ここではこんなもんだ」

下帯一つの藤之助を左右次が次に連れていったのは寺の湯殿だ。

「今宵はおまえ様のために湯を沸かして貰いました。ゆっくりと湯に浸かりなせえ」

左右次もまた衣類を脱ぎ捨てると湯殿に入った。

今度は湯を頭から被った藤之助と左右次はゆっくりと湯船に身を浸した。

「驚きました。まさか、おまえ様が稲木楼の後片付けを最後までやり遂げられるとは正直、わっしも旦那の甲右衛門さんも考えていませんでしたぜ」

「御用にござれば当然のことにござる」

「その当然が出来ないのがこのご時世ですよ。おまえさんは黒焦げの死体を丁寧に扱ってくれなさったそうな。旦那も、本宮様がいなければこのように早く片付かなかったと感心しておられましたぜ。その礼がこの湯だ」

「私のために沸かされた湯とはほんとうのことでしたか」

「ほんとうですとも」

二人は新湯を堪能《たんのう》するようにゆっくりと身を沈めた。

二

殺伝寺の宿坊に稲木楼の甲右衛門、おたねの夫婦以下、生き残った女郎衆と男衆二十数人が仮宅の出来るまでの間、住み暮らしていた。

その一室に湯を上がった巽屋の親分左右次と本宮藤之助は呼ばれた。そこには酒と肴《さかな》が用意され、巽屋の左右次が、

「甲右衛門さん、この時節、湯ほど贅沢《ぜいたく》なものはねえや。わっしまでもが本宮様の相《しよう》

伴《ばん》に与《あず》かった。いい湯でございましたよ」

と礼を述べた。

藤之助も妓楼の主夫婦の前で黙って頭を下げた。

「本宮様、こんなご時世です。肴といっても寺で作る精進料理ですよ、我慢して下さいな」

「親分が申されるとおり、湯は贅沢の極みにございました」

「それもこれもあなた様が率先して稲木楼の後片付けをしてくれたばかりか、うちの焼け跡から回収した死骸を集め、供養までしてくれなさったからだ。うちの野郎どもはだれ一人として手伝おうともしなかった、このとおり礼を申します」

甲右衛門とおたねが揃《そろ》って頭を下げた。

「主どの、女将《おかみ》さん、それがしにはそれがしの御用があってのことにございます。供養と申されたがそれがしは田舎神官の倅《せがれ》、神葬祭《とむらい》の真似事くらいは出来ます。何事がございましょうか」

「座光寺の殿様らしき死骸は見付かりましたかえ」

藤之助は頭を横に振った。

おたねが男たちに盃《さかずき》を持たせて酌をした。

「お浄めの酒にございます」

「恐縮にござる」

三人はゆっくりと呑み干した。

「この年になってあのような地獄を目の当たりにしようとは考えもしませんでしたよ、親分」

「お互いですぜ、甲右衛門さん。仮宅の目処《めど》は付きなさったか」

「山ノ宿に土地の手当てが付きました。今なら大工もなんとか揃う。穴蔵の金を探し出したら、明日から仮普請を始めます」

どこもが整理が付かない状態だった。大工や左官の出番よりは鳶の者など後片付けの職が多忙を極めていたのだ。

「それはよかった」

左右次と甲右衛門の二人の話に黙って耳を傾ける藤之助に甲右衛門が訊いた。

「本宮様、これからどうなされますな」

「得心がいくまで左京為清様の行方を追えとの家老の命にございます」

何度か頷《うなず》いた甲右衛門が、

「あなた様が片付けた死骸の中に座光寺の殿様と瀬紫がなかったとはいえますまい。

それでも無駄を承知で続けられますか」

　藤之助は大きく首肯《しゆこう》した。

「お豆の話を聞かれましたな、本宮様」

「はい。炎が出た直後、内掛けを被った男女が大階段へ下り消えたという話にござるな」

「いかにもそれにございますよ。親分とも話したが意外と真実かもしれないと思い直しましてな」

「左京様と瀬紫は生きておられると申されるか」

「お豆の記憶だと火が出た直後にその二人は大階段を駆け下っているそうな、となると外の通りに逃れられた可能性が高けえ。問題は吉原の外に出られたかどうかだ」

　と左右次が言い、さらに続けた。

「吉原の出入り口は確かに大門一つだ。だが、こんな大地震や火事の際に逃れられるように西河岸、羅生門河岸の一角に門が設けられ、跳ね橋が用意されていますのさ。普段堅く閉じられた門は、鷲《おおとり》神社の酉の市の祭礼の日などには開けられ、女までが自由に出入りが出来るようになっている。妓楼や茶屋を逃れた客や女郎の多くは、この閉じられた門に殺到した。だが、門は開けられなかったとみえ、この二ヵ所に折り重なるような死骸の山が出来ていた。稲木楼のある角町近くの羅生門河岸の跳ね橋が一時動いたという話がございましてねえ、ひょっとしたら座光寺様と瀬紫が吉原の外へ逃れたかもしれねえ。全く推測の域を出ねえ話ですがねえ」

藤之助は小さく頷いた。

「本宮様、瀬紫が生きているのなら、今もうちの抱え女郎ですよ。それだけの大金を払っているのです、そうそう稼ぎ頭の一人を解き放ちに出来ますものか。外に逃れた女郎が何人も抱え主の許へ戻ってきております。どさくさに紛れて逃げるなんて許せません」

妓楼の女将に立ち戻ったおたねが言い切った。

「本宮様、瀬紫の本名はおらん、出は荒川上流の三河島《みかわじま》村にございます。無駄は承知で探しに行かれますか。もし瀬紫が生きて家に戻っているか、連絡を取っているのなら、座光寺の殿様の生死も分かろうというものではございませんか」

甲右衛門が藤之助を唆《そそのか》すように言った。

「参ります」

藤之助の即答に左右次と甲右衛門の二人が頷き合った。

「ならばわっしのところの若い野郎を道案内につけますぜ」

「親分、相すまぬ」

「いえね、猪熊様と磐田様が破れ寺で殺された一件と、わっしと本宮様が襲われた騒ぎが絡んでまさあ。女郎と客が吉原の外に逃げ果せただけの話じゃなさそうだ」

と左右次が言い切った。

「なんとしても真相を見極めとうござる」

「よし、稲木楼、座光寺家、そして、巽屋の手打ちがなった。それぞれ狙いは違うが二人が生きておるかどうかとことん突き止めますぜ」

「親分、主どの、願おう。明朝にも三河島村に出向く」

左右次と甲右衛門が大きく頷いた。


翌朝七つ半（午前五時）の刻限、浅草山谷町の巽屋から本宮藤之助と子分の兎之吉《うのきち》の二人が出てきて、前の通りを北へと向かった。

兎之吉は藤之助より四つ上の二十五歳で左右次親分が、

「戸田の宿生まれで荒川の川筋には詳しゅうござんす。それに機転が利《き》くところはおまえ様と馬が合いましょうぜ」

と選んでくれた若い衆だ。

この数日、巽屋に世話になってきた藤之助だ。兎之吉とも知り合いの仲だ。藤之助は五尺九寸の背丈だが、兎之吉は小柄だった。

朝靄の中、すたすたと並んで歩く兎之吉の頭は藤之助の肩くらいまでしかない。だが、江戸の町歩きで慣れているのか藤之助の早足に無理なく付いてきた。その背には風呂敷包みが負われ、頭の吉原被りの手拭と一緒になって御用聞きの手先というより行商人の風体《ふうてい》だった。聞き込みのための格好だ。

「兎之吉、江戸は不案内だ。なにかと面倒をかけると思うがよろしく頼む」

藤之助は兎之吉に頭を下げた。

「本宮様、こちらこそよろしくお頼み申します。なにより江戸の町中を離れられる御用だ、正直ほっとしましたぜ」

「いやはや、伊那谷を出たときはこれほどの惨状とは考えもしなかった」

「地獄極楽はあの世のものだと思ったが、まさかこの世に地獄があろうとは夢にも考えませんでしたぜ」

兎之吉も相槌《あいづち》を打った。

浅草山谷町の町並みを抜けると道は小塚原縄手《こつかつぱらなわて》と呼ばれる道に入った。左右には田圃が広がり、長閑《のどか》な光景に変わった。

「本宮様、この先に江戸にある二つの刑場のうちの一つ、小塚原がございます。いつもなら前を通るだけで気味が悪いんだが地獄を知った今、どうとも思えねえや」

二人は御仕置場の前を抜けて、小塚原町に入っていった。

「この道の先に千住大橋が架かってますがね、わっしらは川を渡らず西へ上がります」

二人は朝まだきの街道を横切り、寺町を抜けて、再び田圃の間の畦道《あぜみち》に出た。さらに風景が広がり、右手には大きくうねって流れる荒川が眺められた。

藤之助はふと天竜川の四季を思い浮かべていた。

「本宮様、座光寺の殿様ってどのようなお方なので」

「兎之吉、左京為清様は数年前に座光寺家に養子に入られたのだが国表《くにおもて》にお戻りではない。それゆえそれがし、未だお会いしたこともないのだ」

「座光寺様は旗本でありながら参勤交代があるそうですね」

「交代寄合衆という家柄で家光様の御世から大名方のように一年交代で国許の山吹領と江戸を行き来してきた。だが、千四百十三石では行列など参勤の体面を保つのも難しい。伊那衆三家は延宝《えんぽう》七年（一六七九）に幕府に願い出て、三家のうち二家だけが参府し、一家は在所に残ることが許されたそうな。さらに天明《てんめい》四年（一七八四）に再び願い出た。三年に一度の参勤交代をだ。ところが知久家、小笠原家と他の伊那衆二家は三年に一度の交代を許されたが、座光寺家はなぜか一年一度の参勤に戻された」

「苦しゅうございますな」

「苦しい。だが、かようなご時世だ、幕府の綱紀も緩んでおる。そんなこともあって、左京為清様はなにやかやと理由をつけられては国許にはお戻りではない」

兎之吉は座光寺家に興味を持ったか、さらに聞いた。

「本宮様、伊那谷とはどんなところでございますな」

「伊那谷か」

藤之助は生まれ育った領内をふうっと脳裏に思い浮かべた。

諏訪《すわ》の湖から流れ出た天竜川が北から南に下り、西に木曾《きそ》の山並みを控え、東には伊那山脈、さらにはその背後に一万尺に近い白根《しらね》山や赤石《あかいし》岳の高峰が聳《そび》える赤石山嶺を望む伊那谷に山吹領はあった。赤石山嶺には夏場を除いて白い雪が積もっていた。

座光寺家の領地の山吹に城があるわけではなかった。陣屋と家臣団の屋敷が一筋あるだけの邨《むら》だ。

「まあ、江戸から見れば山と川があるだけの大田舎だ」

と藤之助は答えた。

「普段なにをして過ごされておられました」

「陣屋家老の片桐様の道場に通う以外は山に入り、山仕事、あるいは野良仕事だな。子供の折、夏は天竜川に一日浸かって川魚を取り、冬は雪の原で野兎《のうさぎ》なんぞを追っておった」

「本宮様、そりゃ、極楽ですぜ」

「座光寺領にいたときは一日も早く江戸に出たいと思うていたが、江戸があれではな、伊那谷が懐かしい」

安政の大地震が二人の若者を親しくさせていた。

「座光寺の殿様はなんで国表に戻られないんで」

「左京為清様は旗本の高家肝煎《きもいり》の三男だと聞いておる。江戸に生まれ、江戸で育たれ、座光寺家に養子に入られた。兎之吉は伊那谷が極楽と言ったが、江戸育ちの左京様には寂しさ一入《ひとしお》の地獄、江戸を離れたくないのであろう」

「そんな考えだからこんな目に遭ったんですぜ。いや、本宮様の殿様でしたな」

と最後に言い訳した兎之吉は、

「となると瀬紫か」

と独り言を呟《つぶや》いた。

「兎之吉は瀬紫を承知か」

「うちの親分は山谷に一家を構えておいでだが、普段は吉原の面番所に出入りの御用聞きだ。廓内《くるわ》に騒ぎが起きれば吉原会所を指揮して動きますからね、およその女郎は承知だ。その中でも稲木楼の瀬紫は、ちょいと評判の遊女でしてねえ」

「ほう、評判とはなんだな」

「瀬紫は稲木楼のお職《しょく》、つまりは稼ぎ頭の一人だ。細面で器量がよくて肌が抜けるように白い。客に愛想がよくて床上手、その上、歌、茶、琴となんでもござれの花魁《おいらん》でしてねえ。とここまでは吉原の売れっ子なら当たり前の話だ。本宮様、妓楼の米櫃《こめびつ》になろうという女は、この程度はだれも持ち合わせていますのさ。瀬紫はそのほかに一芸があった、博奕《ばくち》の壺振りをさせるとさいころの目を思い通りに出せるとか。こんな芸が評判を呼んで、半籬《はんまがき》にしては上客がついておりました」

「年はいくつかな」

「二十二歳と聞いております」

「左京為清様とは入魂《じっこん》の仲であったのだろうか」

「親分に聞いた話だ。この三年の馴染《なじ》みだそうですぜ。瀬紫と座光寺の殿様は馬が合ったというのか、結構間夫《まぶ》という惚《ほ》れ合った仲だったそうです。ひょっとしたら、座光寺の殿様も高家肝煎の出だが三男で部屋住みだった。それが座光寺なんて田舎旗本に養子に入らされた。あっ、すまねえ、本宮様はご家来でしたな」

「兎之吉、気を使わずともよい。田舎旗本に間違いないのだからな」

「瀬紫もねえ、三河島村の庄屋の娘なんですよ。この界隈は植木職が盛んでしてね、瀬紫の家も植木職人を抱えてそれなりの稼ぎがあった。だから、本来なればこの界隈の大地主の嫁女に納まってても不思議じゃねえ、それが吉原に身売りした切っ掛けは親父が博奕に狂って、賭場に借財を重ねたからだ。瀬紫は博奕に恨みがあって、壺振りの達人になったという変り種でさあ。大身旗本の三男と親の借金をかえすために身売りさせられた瀬紫は、なんとなく互いの境遇に同情をして惚れ合ったのかもしれませんね」

兎之吉が江戸に出てきたばかりの藤之助に瀬紫の身の上を解説してくれた。

「確かに左京為清様は座光寺家に養子に入ったことを喜んではおられなかったようだ。領地にも未だ姿を見せられぬくらいだからな」

「座光寺家の家来衆にも持て余しの殿様でしたかえ」

藤之助は苦笑いしただけだった。

二人は田圃の間の道を進み、幅十間ほどの堀にぶつかっていた。

「この先がおらん、いや、瀬紫の生まれた三河島村でさあ」

兎之吉が教えた。

「客受けはいい瀬紫でしたがねえ、朋輩《ほうばい》にはこれほど人気のねえ女郎もいねえや。我《わが》儘《まま》なんですって。今に見てろ、落ち目になったら苛《いじ》め返してやると考えていた朋輩も大勢いたということでさあ」

「やはり似た者同士が惚れ合っていたと申すか」

「わっしの見立てでさあ、間違ってるかもしれませんや」

兎之吉が笑った。

「兎之吉、瀬紫は三河島村に戻っておると思うか」

「その前にさ、瀬紫が生きているかどうかってことがありますがねえ、わっしは生きているような気がします」

「騒ぎに紛れて吉原を逃散《ちょうさん》した」

「へえっ」

「左京為清様も当然ご一緒であろうな」

「本宮様、養子に入ったはいいが伊那谷の領地を往来しなければならねえ旗本家だ。当人は部屋住みから抜け出たが、うんざりしていたんではございませんか」

「吉原通いに憂《う》さを晴らされていたのだから、当たらずとも遠からずであろうな」

「牛込山伏町の屋敷に戻ってもおもしろくもねえ。となると瀬紫と手に手をとって逃げた。その二人が三河島に立ち寄ったかどうかだ。逃げたと分かれば吉原から追っ手がかかる。追っ手がかかると分かっていても、人情でつい親の顔を見たくなるものでさあ。わっしらは人を何人も殺した野郎が獄門を覚悟で女や親の待つ家に立ち寄り、お縄になった例を嫌というほど見聞きしてきました」

「となると左京様と瀬紫はこの道を歩いたか」

「考えてもご覧なせえ。吉原から逃げ出した二人の格好は、とても人前を歩ける姿じゃねえはずだ。座光寺家には立ち寄っちゃいない。かといって殿様の実家は高家肝煎となれば御城近くでございましょう。地震のすぐ後、炎が走り回っている最中だ。立ち寄るには勇気がいりましょう、ならば江戸外れの三河島村にくるとわっしは睨みましたがねえ」

「なるほど」

「さて問題はこれからだ。本宮様、殿様がもし瀬紫の家に潜んでいたとしまさあ、どうなさるので」

藤之助は返答に困った。

そんな状況を全く考えてもなかったからだ。

「ともかくお屋敷に戻って頂くようにお願い申すしかないな」

ふーむ
という顔で兎之吉がしばらく黙り込んだ。

「瀬紫に運よく出会い、殿様があの地震で死んだ。あるいはもう屋敷には戻らないと申されたらどうなさるので」

「そのようなことは考えたこともない」

「あの夜、何千人もの人間が死んだのだ、吉原から逃げ出したとしてもどこかで火に巻かれなかったとは言い切れませんぜ」

「座光寺家は改易であろうな、終わりだ」

「本宮様方は路頭に迷われるってやつだ」

「そういうことになるか」

「困りましたな。それでも調べに行かれますかえ」

「兎之吉、なにをするにしても真実を知ることが先決であろう。その先のことはご家老方が決められよう」

「へえっ」

朝の光が三河島村を照らし出した。

行く手の田圃の中にかなり広い雑木林が見えてきた。そして、寺の甍《いらか》がいくつか見えて、さらに林に向かって延びた道の先に百姓家とおぼしき長屋門《ながやもん》が見えた。

「わっしの勘だとあの辺りが瀬紫の実家、庄屋の作左衛門《さくざえもん》の屋敷ですぜ」

「いきなり訪ねるか」

「ちと策がいりますよ」

背に負った風呂敷包みを一ゆすりすると兎之吉は野良道の辻に建った地蔵堂を差し、

「ちょいと休みましょうか」

と藤之助を誘った。

三

藤之助はうつらうつらと眠り込んでいた。

小春日和の日差しが落ちる三河島村の庄屋作左衛門の長屋門を遠くに見通せる雑木林の斜面でなんとも居心地がよかった。

三河島村の作左衛門の屋敷は天文《てんもん》年間（一五三二〜一五五四）に長遍が開基したという観音寺などいくつかの寺が集まる雑木林の只中《ただなか》にあった。

兎之吉が最初に狙《ねら》いをつけた長屋門がはたして作左衛門の屋敷だった。

行商人に扮《ふん》した兎之吉は侍姿の藤之助を庄屋屋敷が見通せる地蔵堂に残すと、

「まずはわっしが聞き込みに回ってきます。本宮様の出番はそれからですよ」

と出かけていった。

半刻余り目を開けていた藤之助だが、ぽかぽかと暖かくなった陽に照らされていつしか眠りに落ちていた。

兎之吉はなかなか戻ってこなかった。

藤之助は時折目を開けてそのことを確かめながらまた眠りに落ちた。

昼の刻限近く藤之助の眠り込む背後に野良仕事の帰りか、女二人が藤之助の眠り込む斜面に姿を見せて、藤之助の姿に一瞬、ぎょっとして足を止めた。そして、なにかに気付いたように二人は目顔で話し合い、庄屋屋敷へと去っていった。

藤之助はその気配に気付いていたが睡魔に抗しきれずにうつらうつらと惰眠《だみん》を貪《むさぼ》っていた。

さらに時が流れた。

今度は足音が響いた。

「お待たせしましたな」

兎之吉の声が響き、藤之助は目を開いて、

「すまぬ。つい眠り込んだ」

と詫《わ》びた。

「なあにそんなことはどうでもいいや。腹も減ったことでしょう」

兎之吉は手に竹皮包みを二つと竹筒を持っていた。

「百姓家で飯を炊かせて握りを作ってもらいました。話は食べながらだ」

兎之吉は竹皮包みを一つ藤之助に差し出した。

「なにもせぬのに昼餉《ひるげ》を食べるとは罰あたりだな」

「餅は餅屋でさあ。それに本宮様は稲木楼の後片付けで、人一倍働かれたんだ。江戸のかっこつけじゃあ出来ねえ話だと親分が感心されていましたぜ。当今のお武家様と違い、本宮様は根性が据わってまさあ」

竹皮を解くと大きな握り飯が二つ、それに大根の古漬けも添えてあった。

「伊那谷では弔いか祝言でもないと白い飯は食べられぬ」

「江戸では白いまんまだけは裏長屋住まいの職人でも食べられまさあ。だが、この地震でそれも当分だめかねえ」

と兎之吉が呟き、大きな握り飯にかぶりついた。

藤之助も一口食べて思わず、

「うまい」

と叫んでいた。

握り飯も美味《うま》かったが長閑な景色がその言葉を吐かせていた。

昨日まで兎之吉と藤之助がいた吉原界隈は生地獄そのものだった。だが、江戸から離れた三河島村は大地震の被害がさほど見られなかった。眼前にはなんとも穏やかな景色が広がり、それが二人の若者の心を和ませていた。

「稲木楼の瀬紫が作左衛門屋敷に逃げ戻ったかどうかですがねえ、村の庄屋の娘のことだ。だれも口が固うございましてねえ、なかなか話してはくれませんや」

「そうであろうな」

「だが、わっしは戻ったと当たりをつけました」

兎之吉が言い切った。

「ほう、それはまたどうしてだな」

藤之助は握り飯を片手に訊いた。

「地震の夜、この三河島村も大きく揺れたそうな。その直後、江戸じゅうが燃え上がる光景が見られたそうです。むろん吉原が紅蓮《ぐれん》の炎を上げる様子も。にもかかわらず作左衛門は作男さえ、吉原に出向かせて娘の安否を問い質《ただ》した様子がねえ」

「おかしいぞ」

「ねっ、おかしゅうございましょう。親ならばまず真っ先に吉原に駆け付けるはずだ。事実、江戸に奉公に出ている百姓家ではあの夜のうちに江戸に走った親が何人もいました」

「瀬紫は、父親が作った借財のために遊里に身を落としたのであったな。となれば作左衛門は真っ先に瀬紫、娘のおらんのことを気遣《きづか》ってもいいはずだ」

「そういうことですよ」

兎之吉は一つ目の握り飯を食べ終え、指にこびりついた米粒を丁寧に口先で嘗《な》め食べた。二つ目に手をかけたがその格好で、

「近所の者には瀬紫など最初からいなかったような素振りだそうですがねえ、祭り酒などに酔うと娘にすまねえことをしたとつい愚痴《ぐち》っていたということなんで。それが今度は貝のように口を噤《つぐ》んでいやがる」

「いよいよおかしいな。ところで左京為清様もご一緒であろうか」

兎之吉は首を横に振り、

「そこまではなんとも」

と応じた兎之吉が、

「地震が江戸を襲って一昼夜、その夜半、作左衛門屋敷から長持ちが一竿運ばれて出てきたんだそうですよ。そいつを近くの寺男が燃え続ける江戸の空を見物していて見ていた」

「長持ちか、どこへ運ばれたのであろう」

兎之吉の目が北の方角を見た。

「おそらく戸田《とだ》川に舟を待たせてあったと思えます。作左衛門は突然吉原から逃げ戻ってきた瀬紫をどこぞへ移して隠したとも思えます」

頷いた藤之助に、

「作左衛門め、また悪い癖が出て賭場に出入りして新たな借金をこさえているらしい、もっぱらこの界隈の噂でさあ。飲む打つ買うの三道楽でどうしても止められないのが博奕だ」

「兎之吉、これからどうすればいい」

と藤之助が訊《き》いた。

「この界隈に腰を据えて、作左衛門が瀬紫に連絡《つなぎ》をつけるのを待つしか手はございませんや」

「よし、そう致そう」

「観音寺の南側にある神明社は無主でしてねえ、庄屋屋敷の出入りは見通せます。夜露くらいは凌《しの》げましょう。日が落ちたら、わっしらもそちらに移りましょうか」

御用聞きの手先はすべて手配りしてきていた。

藤之助と兎之吉の三河島村の神明社の狭い社からの見張りは二晩続いた。見張りを始めて二晩目の八つ（午前二時）過ぎ、二つの影が庄屋屋敷の裏門からひっそりと出た。

「動きましたぜ」

兎之吉が手早く荷を纏《まと》めて担《かつ》いだ。

藤之助はかたわらに立てかけた藤源次助真《とうげんじすけざね》を手にとった。

「本宮様、こいつは誘導《おとり》かもしれません。本宮様はしばらくここに残って下せえ。もし後から出る者がいるとするとそいつが本命の使いだ」

「承知した」

兎之吉が音も立てずに神明社から姿を消し、二人の後を追っていった。

藤之助は助真を元に戻して、再び待機の構えをとった。

最初の二人が出てきて四半刻（三十分）後、再び庄屋屋敷の長屋門から闇に紛れるように現れた影があった。

兎之吉の勘があたったのだ。

最初の二人は用心のための誘導だったようだ。

藤之助は助真を手に二晩世話になった神明社を出た。

空には雲が覆い、時折雲間から弱い月光が地を照らしつけた。

影は年配の男のように見えた。明かりもつけずに田畑の間の野良道を北西にすたすたと向かった。

藤之助が分かったのは月の位置でおよその方角だけだ。迷いもなく歩く影を一丁ばかりおいて尾行していく。

藤之助には皆目分からなかったが、男が進む野良道の方向は三河島村の西に広がる下尾久《しもおぐ》村から上尾久《かみおぐ》村だった。

ひたひたと沈黙のままに尾行が続き、朝が訪れる気配があった。

それでも男は足を休める様子はなかった。

男の進む方角がふいに変わった。どうやら川の流れにぶつかったらしい。西北から土手に沿って東へと折れた。

辺りが白み始め、畑作地がうっすらと見分けられるようになった。

流れは大きな川と合流した。その河口に小さな中洲が浮いて、苫葺《とまぶ》きの大きな小屋が一軒建っているのが見えた。

男が口笛を吹き、中洲から袖無しに褌《ふんどし》一丁の男が出てきて、

「三河島村の旦那かえ」

と言うと男が立つ岸辺に四間ほどの長さの板を渡した。男はすたすたと渡し板を歩き、中洲に渡ると小屋に入った。

川漁師の小屋かと藤之助は見当をつけた。

苫葺き屋根の間から薄く煙が立ち昇り、小屋の中では火が燃やされている気配があった。

藤之助は待った。

男が小屋に姿を消して四半刻後、戸田川に櫓《ろ》の音が響き、下流から船が上がってきた。その音を聞きつけた男が小屋から姿を見せると中洲の岸に近付いた船にひょいと飛び乗った。

なんとその船には二人の先客があった。

船は流れの中央へと出ていった。

藤之助には最初に庄屋屋敷を出た二つの影が先客のように思えた。ともかく作左衛門家では警戒して行動していることが判明した。

(このことはなにを意味するのか)

藤之助はどうしたものかと途方にくれた。中洲の苫葺きの小屋には人の気配があった。先ほどの人物がだれか尋ねる手は残されていたが、旦那と小屋の主の関わりが分からない限りそれも危険だと思えた。

船が戻ってくるのを待つか、三河島村の庄屋屋敷に戻るか。

藤之助が迷っていると葦《あし》の原からふいに兎之吉が飛び出してきた。

「本宮様」

兎之吉に驚きがあった。ここで藤之助と会うとは想像もしてなかったのだろう。藤之助はなぜここにいるか、事情を告げた。

「兎之吉、旦那と呼ばれる男に逃げられたわ」

「本宮様が尾行した旦那はまず庄屋の作左衛門と見て間違いございますまい。相手は警戒してまさあ、致し方ありませんや。ともかくちと思案がいる」

と懐から手拭を出した兎之吉が額の汗を拭った。

「葦原を掻《か》き分け掻き分け、流れを上る船を追うのは至難のこってすぜ。汗をかかされた」

兎之吉は苦笑いすると、

「だが、作左衛門め、これで尻尾《しっぽ》を出しやがった」

と吐き捨てた。

「大きな川の上流はどこへ通じておるな」

「戸田の渡しで中山道と交差してまさあ。さらに川を上がると川越《かわごえ》城下にも秩父《ちちぶ》にも通じる。さて、どこへ行きやがったか」

と改めて辺りを見回した兎之吉が、

「戸田川に流れ込む流れはこの界隈では王子《おうじ》川と申しましてねえ、上《かみ》に行くと音無《おとなし》川、石神井《しゃくじい》川などと名を変えます。ほれ、わっしどもが立っている岸までが寺社方の支配地、朱引内でしてねえ、中洲と対岸はご支配の外だ」

「中洲と向こう岸は江戸の外ということか」

「おっしゃるとおりでさあ」

「となると苫葺き小屋の連中は尋常な者ではないな」

「まずは刻限外に密かに戸田川を往来したい者を渡したり、時には盗人宿に変じたりとそんな連中が巣くう小屋でさあ」

「そんな連中と作左衛門はつながりがあるのか」

「まず博奕仲間かそんなとこですよ」

櫓の音が響いてきた。

戸田川の下流からだ。

藤之助と兎之吉は葦群に身を隠した。

荷船には船頭を含めて四人の男が乗っていて、筵が掛けられた荷が積まれてあった。その筵がもそもそと動いていた。

中洲の小屋から先ほど姿を見せた袖無しに褌一丁の男が出てきて、

「獲物はあったか」

と訊き、

「娘が五人、二人は素人だ」

と船から叫び返された。

「あとでおぼこ娘の味見をしてみようか」

褌一丁の男が笑った。

船の舳先《へさき》が中洲に突っ込み、船の男が二人中洲に跳んだ。残った男が筵を剝《は》ぐと怯《おび》えた表情の若い女たちが船に固まって乗せられていた。

「下りろ！」

船頭の命じる声に女たちが中洲に上陸させられ、苫葺き小屋へと入れられた。船だけが中洲の岸に残された。

「本宮様、こやつら、江戸が地震騒ぎで混乱しているをいいことに若い娘を攫《さら》って、どこぞに売り飛ばそうと考えてやがる連中です。大船を待つのか、夜まで小屋に待機させられるのか、そんなところですぜ」

「許せぬ」

「相手は六、七人ですぜ」

「構わぬ」

藤之助は懐から小鉈《こなた》を出すと葦群から幹が太くて丈の長いものを選び、手際よく切った。

中洲に泊められた船まで三、四間の間があった。藤之助は葦で船をこちら岸に引き寄せようと考えたのだ。

兎之吉は背の風呂敷包みを下ろすとその場に置き、身軽になった。そして懐から十手を出した。

藤之助が切った葦の先に小鉈を重し代わりに結わえ付けた。そいつを差し伸べ、船の艫《とも》の内側に小鉈を重しに垂らし、ゆっくりと船を引き寄せた。

兎之吉が引き寄せた船を摑んだ。

藤之助が重しの小鉈を外し、船底に三尺ほどの樫《かし》の棒が転がっているのに目を止めた。

小屋から女の悲鳴が上がった。

藤之助は船に飛び込むと船底に転がっていた樫の棒を拾い、一、二度振るって重さを確かめた。

中洲へ飛び渡った。

兎之吉が続いた。

藤之助が小屋に飛び込むと男たちが女たちを組み伏せる光景が目に飛び込んできた。

「無法を致すでない！」

藤之助の叫び声に戸口に見張りに立っていた男が、

「てめえはなんだ！」

と叫ぶと懐の匕首《あいくち》を抜き放ち、その姿勢のまま突っ込んできた。

藤之助は手にした棒の先を相手の鳩尾《みぞおち》に突っ込んだ。

ぐえっ
と叫ぶと尻餅《しりもち》をつくように倒れた。

騒ぎに気付いた仲間が女の体から身をどけ、自分の得物を手にして身構えた。

藤之助はすでに小屋の広さと男たちの位置を確かめて、樫の棒を縦横に振るって突き、払い、殴りつけた。

一瞬の嵐が吹き去ったとき、苫葺き小屋の中に六人の男たちが倒れて呻《うめ》き、小屋の主か、袖無しに褌一丁の男が呆けた顔で立っていた。

その足元には五人の娘たちが呆然自失の体で藤之助を見上げていた。

「兎之吉どの、どう致さばよいかのう」

「本宮様はまるで鬼人か阿修羅《あしゅら》だねえ」

と手持ち無沙汰《ぶさた》の様子で十手を懐に仕舞い込んだ兎之吉が、

「わっしが王子権現に一家を構える寛太郎《かんたろう》親分に助けを借りてきます。なあに王子川を船で上がればすぐそばだ。すぐに戻ってきますよ」

「こやつらをそれまで逃すことはない。その間に小屋の主を締め上げておこうか」

「お頼み申します」

兎之吉が姿を消すと、

「そなたら、こちらに参れ。今、助けが来るでな」

と女たちに呼びかけた。

一連の騒ぎをちょうど船を中洲に着けようとした船頭が見て、そっと舳先を巡らし、今来た上流へと戻っていった。

放心していた女の一人が急に我に返ったように小屋の一つある出入り口に這《は》い寄ってきて残りの四人も続いて集まってきた。

藤之助が女たちを背に庇《かば》うようにして立つと改めて小屋を見回した。

二十畳はありそうな広さで真ん中には囲炉裏《いろり》が切ってあった。苫葺きの屋根を支えるのは二本の柱と斜交《はすか》いにかけ渡された、何本かの梁《はり》だった。

「そのほうに話がある」

藤之助の手にした樫の棒の先が袖無しに褌一丁の男を指した。その足元では仲間たちが呻《うめ》き悶《もだ》えていた。

「そなたの名はなんと申すか」

「知ったことか」

「三河島村の庄屋作左衛門はどこに参ったか、話してくれぬか」
「そんなこと話せるものか」
「悪党仲間の仁義かな。ならばちと痛い目に遭うことになる」
藤之助は小屋の奥へと進むと小屋の主が後ずさりした。
両手に樫の棒を握った藤之助が気配もなく横に振った。小屋を支える一本の柱に向かって弧状に伸びた棒が四寸ほどの丸木の柱に、
かーん
と当たると柱がものの見事にへし折れ、苫葺きの屋根が、
がくん
と傾いて袖無しに褌一丁の男の肩に落ちかかってきた。
「どうだ、主、話す気にはならぬか」
男ががくがくと頷いた。

四

王子川を出た船は荒川の上流へと舳先を向けた。乗っているのは浅草山谷町で一家

を構える巽屋の左右次の子分の兎之吉、船頭は本宮藤之助だ。

「まさか本宮様がこれほどの櫓捌《ろさば》きの腕をお持ちとは考えもしませんでしたぜ」

「天竜川で産湯を使うのが座光寺領に育った者のさだめだ。男も女も暴れ川で櫓を使ってようやく一人前なのだ」

王子権現前でお上の御用を勤めるという寛太郎親分と手先たちが兎之吉の案内で駆け付け、中洲の苫葺き小屋に巣くう悪党一味をひっくくり、江戸から攫われてきた女五人を保護して王子権現の番屋に連れていった。

それを兎之吉と藤之助も手伝った。その後、蕎麦《そば》屋を見つけて腹を満たし、ようやくひと段落ついて再び本来の探索に戻ろうとしていた。

刻限はすでに昼を回っていた。

苫葺き小屋の主は鎌造《かまぞう》という名の無宿者だった。

藤之助の問いに鎌造は庄屋の作左衛門らが王子川の中洲を経由して行った先を見沼《みぬま》通船堀《つうせんぼり》東縁にある名主の板東秦兵衛《ばんどうしんべえ》の屋敷だと答えていた。そのことを兎之吉に告げると、

「話には見沼通船堀のことを聞いたことがございますがねえ、まだ見たことも通ったこともねえ」

と答えたものだ。

「通船堀とはなんだな」

「へえっ、こっちも婆様の聞きかじりだ、間違っていたら御免《ごめん》なさいだ。いいですかえ、本宮様」

二人の若者は数日の探索で互いに心を許し合う仲になっていた。

「構わぬ」

「この荒川は今でこそ開削が進み、おとなしい流れになっていますがねえ、昔はうねうねと曲がりくねって水量も豊かだったと聞いております。雨の季節にもなるとその名のとおりに荒れ川に変じますんで。今も荒川は何本も川が寄り合さり、さらに多くの細流が流れ込んでいるんですよ。その一つがこれから向かう芝《しば》川でしてね。紀州から八代様に就かれた吉宗《よしむね》様が新田を開くために浦和《うらわ》宿外れにある見沼に目をつけられた。紀州流とか申す干拓法で開墾なされて、千八百町歩もの新田を造られたんでさあ、享保年間のことでさあ。さらには利根川と見沼をつなぐ見沼代用水を造られた。こいつが今では武蔵国でも一番大きな用水路でございますよ」

むろん藤之助には初めて聞く話だ。

「吉宗様の意を受けて、見沼新田や代用水の普請を指揮なされたのが井沢弥惣兵衛《いざわやそべえ》様というお武家だそうです。この井沢様が次に目をつけられたのが見沼の代用水の東縁と西縁の二つの流れを芝川へと通じさせる見沼通船堀の考えなんです。用水路を掘削なされ大きく広げ、芝川から荒川を回る舟運を造られたのでございますよ。これで利根川から荒川に行き来できることになった。浦和宿の東の産物を江戸に運ぶこともできるようになった」

「聞くだに途方もなく大きな話だな」

「それればかりじゃねえんで」

「なんだな」

「見沼代用水の東縁、芝川、西縁の水位が違うそうなんで」

「それでは舟運もなにもあるまい」

「そこでさあ、井沢弥惣兵衛様が知恵者だというのは。なんと井沢様は水量を調節する堰《せき》を造り、水位を上げて、船を順々に高い川、低い流れの沼と移動させて、米、野菜、薪炭、塩、干鰯《ほしか》などを運んだそうでございますよ」

「そのような話、聞いたこともないな」

天竜川は諏訪《すわ》湖から遠州《えんしゅう》灘へと地形の高低を利用して流れ込む天然の川だ。流れに逆らい上流へ上るとしても満ち潮と風を利用できるところまでだ。

「わっしの婆様がこの近くの村から江戸に奉公に上がり、爺様と所帯を持ったんですよ。それで餓鬼《がき》のころ、婆様に弥惣兵衛様の知恵と工夫を嫌というほど聞かされましたよ」

兎之吉が江戸に出てきたばかりの藤之助に手際よく話してくれた。

「そろそろ芝川の河口が見えてきまさあ、右岸から左岸へ船を移して下せえな」

「承知した」

「芝川には船は入れますがねえ、見沼通船堀は元々《もともと》用水路だ。用水が要らない秋口から春先までだけ通船が許されるそうで。船頭は鑑札を受けた者でなくては通れません」

「ならば芝川を漕ぎ上がったどこぞで船を捨てようか」

荒川に流れ込む芝川河口が見えてきた。

藤之助は櫓を大きく使い、腰で漕いだ。そのせいで芝川から流れ込む水勢を難なく乗り越えて芝川に入っていった。

土手には立ち枯れの葦や芒《すすき》が生えてさらに長閑《のどか》になった。

「三河島村の庄屋と見沼通船堀の名主板東秦兵衛はどのような関わりかな」

「縁戚か、作左衛門の嫁の実家か。なんにしても行ってみるしか分かりませんや」

と答えた兎之吉が、

「鎌造の話を聞くに、おらん、いや、稲木楼に売られて瀬紫と名を変えた女郎が生きていることだけは確かのようですねえ」

鎌造は瀬紫を見たわけではなかったが船に積まれた長持ちには女が隠れていることを承知していた。

中洲の岸辺に船が停まったとき、長持ちの女が用足しに出て、別の船に積み替えられた長持ちに隠れるのを鎌造は密かに見ていた。

鎌造は、

「ありゃあ、素人娘じゃありませんぜ」

と藤之助に明言した。

また、長持ちの載せられた船には作左衛門の他に数人の男たちが従っていたという。だが、黙りこくって口も利かない男たちは鎌造の見かけない顔だったそうな。ともかく鎌造が見た男女は夜の闇の中で曖昧《あいまい》としていた。

荒川と芝川の合流部から半里も遡《さかのぼ》ったところに船溜りがあった。

兎之吉が、

「本宮様、ここいらで船をいったん捨てませんかえ。それに刻限もちと早いや、名主屋敷に忍び込むにしてもこう真っ昼間ではねえ」

「そう致すか。腹も減った」

「そういえば王子権現で蕎麦をすすったきりだ」

藤之助は芝川の船溜りに王子川から乗ってきた船を停め、舫《もや》った。船溜りには船問屋があって、芝川を上り下りする船の面倒を見ていた。

見沼通船堀の用水路が使える時期だ。鑑札を持った船の船頭たちが船問屋の店先で酒を飲んでいたり、飯を食っていたりする光景が見られた。

「通船堀の船頭は腕もいいが稼ぎもいいそうなんで、一船何両の稼ぎだと婆様がほらを吹いていましたがねえ、まんざら嘘でもねえらしいな」

と豪快な酒の呑みっぷりに感心した。

「姉さん、こっちにも酒をくれねえか。あとで飯だ、菜《さい》は任すぜ」

と兎之吉が歯切れよく頼んだ。

「兄さん方は江戸からけえ」

「ああ、ちょいと野暮用でな」

「地震はどうだ、ちったあ鎮まったか」

「あれだけ大鯰《おおなまず》が暴れた後だ、そうそう鎮まるものか。まだ余震が繰り返され、辻には黒焦げになった死骸の山が残っていらあ」

　ぶるっと身を震わした女が、

「ここいらでもえらく揺れただよ」

　と言うと奥へ引っ込んだ。

　藤之助は船頭たちがどうやら見沼通船堀が開門する刻限を待っていると推測した。

「船頭さん、ちょいと聞きてえことがある。わっしらはこれから東縁の名主、板東秦兵衛様を訪ねていくんだがねえ、どんなお方だねえ」

　と兎之吉が茶碗酒を呑む船頭に尋ねた。

「おまえさん方はだれだえ」

「いやさ、今も姉さんに話したが、江戸からきた人間だ。今度の地震と火事でよ、おれっちの知り合いが秦兵衛様の許を頼っていったというでな、迎えに行くところだ」

「板東家はあの界限の分限者《ぶげんしゃ》だがよ、先代が亡くなって急に家が傾いたという話だぜ。あんまり景気はよくあるめえよ」

「江戸からきた養子どのが遊び好きだ、飲む打つ買うで田畑も手放したというでな」

　と朋輩の船頭も誘いに乗って話に加わった。

「三河島村の庄屋作左衛門さんのところからかねえ、養子さんは」

「おうっ、それだ。江戸者は田舎の暮らしには慣れねえからな、先代が亡くなった途端に箍《たが》が外れたというやつだ」

「当代の秦兵衛様はおいくつだねえ」

「あれで三十そこそこかねえ、嫁のおたかさんは泣き暮らしているということだぜ」

「いや、呆れたおたかさんは親戚の家に身を寄せておられる、奉公人も一人辞め、二人いなくなるという有様らしいぜ。給金もまともにくれねえところには居つかねえ道理だ」

藤之助と兎之吉のところに大徳利で酒が運ばれてきた。

船頭たちは一休みするのか奥の座敷に移動した。

「本宮様、様子はおよそ分かった。乗り込むのはやっぱり日が落ちてからだ。ここは腹ごしらえして、船でさ、少し横になって時を待ちましょうかえ」

藤之助は頷いた。

兎之吉は二つの茶碗に酒を注いだ。その一つを藤之助に持たせた。

徹夜して座光寺左京為清と瀬紫の後を追う二人だ。喉も渇いていた。

二人はゆっくりと喉に酒を落とした。

ふーうっ、と息を吐いた兎之吉が、

「生き返ったぜ」

と呟いた。

「巽屋の親分と座光寺家は古い付き合いであろうか」

藤之助は疑問に思っていたことを聞いてみた。

「わっしもよくは知りませんや。ですが、どこの大名家も旗本も出入りの御用聞きを持っているもんでねえ、家来衆が不始末を起こしたときに幕府の大目付や目付が出てくるまえに金子で片付けてしまうんで。おそらく座光寺家とうちの付き合いもそんなもんですぜ」

と兎之吉が言った。

「知らぬことばかりが江戸にはある」

「反対にわっしらは在所の暮らしを知らねえで生きてますさあ」

先ほどの姉さんが膳を運んできた。

丼茶碗に白い米が装われ、鰯の焼き魚に里芋、千切りこんにゃく、人参の煮付けに味噌汁だ。

二人は野菜の煮付けを菜に酒を呑み、その後、鰯と葱《ねぎ》の味噌汁で丼飯を掻きこんだ。

満腹した二人はいったん船に戻り、すでに西に傾いた光の下で仮眠を取った。

寒さに二人が目を覚ましたとき、刻限は暮れ六つ（午後六時）を過ぎているように思えた。

二人は船を捨て、芝川沿いに見沼通船堀を目指した。

四半刻後、芝川と通船堀の交わる土手から東縁へと堀沿いに進んだ。

「本宮様、板東家を傾かせた養子どのはどうやら瀬紫の兄さんのようですね」

「年恰好《かっこう》から申して間違いあるまい」

見沼通船堀東縁と呼ばれる水路の長さはおよそ二百二十間余、板東家は通船堀東縁の中ほどにあることが分かった。

「どうやらあの長屋門のようですぜ」

兎之吉は明かりが点《とも》った茅葺《かやぶ》きの大きな百姓家を指した。長屋門はまるで祝言でも催されるような提灯《ちょうちん》が掲げられ、屋敷も赤々と明かりが点されていた。

「祝い事か弔いか、なんですかねえ」

兎之吉も頭を捻《ひね》った。

藤之助は屋敷内に殺気が漂っているのを察した。

「兎之吉、われらのことを待ち受けているのではないかな」

「鎌造は王子権現の親分の支配下で動きがつかねえや。だれがいったい知らせたんで」

「そいつは分からぬ。だが、屋敷うちに嫌な感じが漂っておる」

「どうしたもので」

「こうなればじっくり構えようか。しばらく様子を窺《うかが》ってみよう。乗り込むのはそれからでも遅くあるまい」

藤之助と兎之吉は板東家の出入りが見通せる東縁の水門小屋に潜んで、交代で出入りを見張った。

だが、半刻過ぎようと一刻経とうと人の出入りはなかった。

「本宮様が申されるとおり、わっしらが来るのを手薬煉《てぐすね》引いて待っている図ですかねえ」

「そんな様子だな」

「どうしますかえ」

「乗り込むか」

「当たって砕けろだ。待っていても埒《らち》が明かねえや」

兎之吉が藤之助に賛同した。

「よし」

藤之助はまず羽織を脱いで、水門小屋に畳んで置いた。

助真の目釘《めくぎ》を確かめ、使い慣れた小鉈を懐に突っ込んだ。草鞋の紐を締め直せば仕度はなった。

縞木綿の袷《あわせ》の裾を後ろ帯に挟み込み、股引《ももひき》姿の兎之吉は懐の十手を手にした。

「こうなれば堂々と長屋門を潜《くぐ》ろうか」

「へえっ、なんだか赤穂様の吉良《きら》邸討ち入りの気分ですぜ」

刻限は四つ（午後十時）を回った頃合か。

長屋門の前に立つと屋敷の中に緊張が走ったのを二人は感じ取れた。

「やはりわっしらのことは知られておりましたねえ」

「庄屋どのは自ら化けの皮を剝《は》がされていくな」

長屋門を潜ると庭先に篝火《かがりび》が赤々と燃えていた。庭に入ると垣根の隙間《すきま》から奥座敷が見えた。そこでは侍姿の男と遊女が酒を酌み交わしている光景が浮かび上がった。

座光寺為清と瀬紫であろうか。

瀬紫を知る兎之吉も遠過ぎて当人かどうか分からぬ様子だ。

その他にも名主屋敷内には人の気配がしたが、二人以外姿を見せる様子はなかった。

「座光寺左京為清様、お迎えに上がりました！」

藤之助は屋敷に向かって叫んだ。

だが、酒を飲む武家はなにも答えようとはしなかった。

「兎之吉、あとから来よ」

藤之助はそう言うと開け放たれた戸口に立った。

式台に大甕《おおがめ》が置かれて、柿紅葉の大枝が生けてあった。

「座光寺家家臣本宮藤之助、じゃまを致す」

そう断った藤之助の視界の端にきらきらと刃が光って見えた。

槍の穂先だ。

そう感じたとき、藤之助の右手は懐の小鉈を掴み取り、投げ打っていた。

奥座敷に飛んだ小鉈がぐさりと槍を手繰《たぐ》り出そうとした侍の額を割って横倒しにした。

ばらばらと人影が出てきた。

剣や短槍を手にしていた。

屋敷奉公の侍ではなかった。金で雇われた浪々の剣術家のようだ。

「剣槍を交わらせるにはちと狭い。庭に出られぬか」

藤之助はそう誘いかけると廊下を回って庭に飛び降りた。

奥座敷の男女が見えたが女は身を硬くしているのが感じ取れた。

藤之助に続いて兎之吉も庭に飛び出してきた。

藤之助はさらに相手が従うのを確かめながら足場を固め、助真を抜き放った。

刃渡り二尺六寸五分を、
すいっ
と垂直に立てた。

信濃一傳流の教えに藤之助が新たな解釈と工夫を加えて、独創の技を編み出した。

それが、

「天竜暴れ水」

だ。

江戸に出て一度遣ったが納得がいかなかった。それを改めて試そうと思った。

雪解けや大雨の後、風が伊那谷を吹き下ろすと流れは暴れ川に変じて、激流が岩場に当たって四方八方に砕け散った。

それを赤石岳や白根山の峰々が見下ろしていた。

白い飛沫《しぶき》が躍る様は藤之助が幼い頃から何度見ても、恐ろしくも魅惑的な光景だった。

藤之助が孤戦乱戦を想定して創案した技は暴れ川の様相を模していた。

ばらばらと庭に下りてきた餓狼の群れは十数人だ。

「兎之吉、手出しは無用だ」

「へえっ」

背で兎之吉の返答を聞いた瞬間、藤之助は自らの視線とは反対側に飛び込んでいた。

短槍を構えた剣客が慌てて、穂先を突き出した時、藤之助の持つ藤源次助真が電撃の速さで振り下ろされ、千段巻を斬り落としていた。

同時に踏み込むと柄だけを握り締めた剣客に体当たりを食らわせ、間合いを空けると脇に移していた助真をそのまま振り抜いた。

ぎええっ
胴を深々と抉《えぐ》った助真はそのまま横手に走り、二人の肩口を斬り分けていた。

右翼の三人が一気に崩され、攻撃の陣形が乱れた。

藤之助の攻撃は止まることを知らず、天竜の暴れ水のように八方に飛び、岩に当たって変容し一人を倒せば動きが変わって思わぬところに飛び水していた。

名主の板東家の庭を、

「天竜暴れ水」

が襲い、鎮まった時、庭に六人の剣客が倒れ、半数は阿修羅の如き藤之助の攻撃を恐れて逃げ去っていた。

（まああの出来か）

藤之助は胸中で思った。

「わっしも御用聞きの手先だ、捕り物の修羅場を何度か潜った。だがねえ、まかり間違っても本宮藤之助様を敵に回したくございませんや」

兎之吉が感嘆した。

藤之助はそれには答えず縁側からずいっと奥座敷へ上がった。

だが、そこには酒宴をしていた武家は見えず、恐怖に大きく両眼を見開いた女だけが腰を抜かしたように残っていた。

だが、瀬紫でないことは一目瞭然、百姓女が白塗りに化粧された姿に間違いなかった。名主屋敷の女中かもしれなかった。

「女、三河島村の庄屋どのはどうなされたな。いや、その娘のおらんがこちらに参っておらぬか」

女が恐怖に顔を引《ひ》き攣《つ》らせて奥を目で指した。

「奥におると申すか」

藤之助が奥への板戸を開いた。するとそこに折り重なるように二人の男が斃《たお》れていた。二人の倒れた周りには血溜りがあった。死んでまだ数刻と経ってない。暗く湿った部屋に死の臭いが充満していた。

「だれだえ」

兎之吉が女に訊いた。

「さ、作左衛門様と秦兵衛様ですよ」

「だれが殺した」

「おらん様と仲間の侍だ」

と叫んだ女は、

「おれの知っていることはそんだけだ！」

と叫ぶと気を失った。

「瀬紫は父親と実の兄を殺したと言うんで」

「まさかその助けをしたのは左京為清様ではあるまいな」

藤之助も呆然と呟いていた。

第三章　再建の槌音

一

浅草山谷町に子分の兎之吉《うのきち》と本宮藤之助《ほんぐうとうのすけ》が戻ってきたとき、ちょうど江戸の町は動き出そうという、明け六つ（午前六時）の頃合だった。

巽屋の前は綺麗に掃き掃除がされて、乾いた地面には打ち水までしてあった。安政の大地震から十数日が過ぎ、余震は続いていたが少しずつ平静を取り戻しつつあった。二人が戻ったと聞かされた左右次はすぐに居間に呼んだ。

「ご苦労だったな。なんぞ収穫はあったかえ」

「親分、面目ねえがさほどの進展はねえや」

兎之吉が三河島村から王子川の中洲の騒ぎ、さらには見沼通船堀《みぬまつうせんぼり》の名主板東秦兵衛の家に飛んだ経緯《いきさつ》を手際よく報告した。

「なんと作左衛門と実の兄の秦兵衛も殺されたか」

「板東家の女中は瀬紫と仲間が殺したというのだがねえ、見たわけではねえんだ。おらん、そなたは実の父親と兄を見捨てて殺す気か！　という喚《わめ》き声とその後に起こった絶叫を聞いただけだ。だれが手をかけたか知らないが、邪魔になった二人は始末されたことは確かだろうぜ」

「女中は長持ちで運ばれてきた女を瀬紫、おらんと認めたのだな」

「へえっ、こいつは確かのようだ。父親と実の兄の秦兵衛の様子からまず間違いねえと言ってまさあ」

左右次が藤之助を見た。

「瀬紫には常に一人の侍が従っておる。それが座光寺左京為清《ためすが》様かどうか未《いま》だ分からぬ。というのも瀬紫とその侍には板東家の者だれもが近付くことを禁じられておったのだ」

「なんとも訝《いぶか》しい話だぜ。瀬紫、いやさ、おらんは父親と兄を殺してまでどこへ逃げようというのか」

「親分、王子川の苫葺《とまぶ》き小屋のこっちの動きをさ、瀬紫の仲間に見られたらしく、瀬紫と仲間はおれっちが着く前に尻に帆をかけて逃げ出しやがった。残ったのは銭で雇われた連中か、融通のきかねえ奉公人ばかりだ。逃げた先はだれも知らないときてやがる」

と報告を終えた兎之吉が、

「こっちはなんぞ分かったことがあったかえ」

と訊いた。

「引田様が時折顔を見せられていかれるがな、左京為清様は実家の品川家には戻ってないと申されておる」

「やっぱりおらんと一緒の侍が座光寺の殿様かねえ」

兎之吉の問いに首を捻《ひね》った左右次が、

「本宮様には申し訳ねえが左京様という仁と瀬紫、おれたちが考えている以上に悪党かもしれねえぜ」

「どういうこった、親分」

「稲木楼の地下の穴蔵だがな、銭箱は空っぽだったそうだ。甲右衛門の旦那は仰天してなさったぜ」

「瀬紫と座光寺の殿様が地震の最中に穴蔵に入り、稲木楼の有り金をかっさらって逃げたというのかえ」

「どうやらその様子だ」

「なんというこった。稲木楼は半籬《はんまがき》だが、客筋も悪くねえや。稲木楼はかなり溜め込んでいたろう」

「地震の夜、金蔵には八百四、五十両が皮袋に入れられてあったというがそいつが消えているそうな」

「驚いたねえ、あのとき、だれもが命からがら地震と火事から逃げるのに必死だったというのに、二人は稲木楼の穴蔵にまで手をつけていきやがったか」

「咄嗟《とっさ》のことじゃねえな。おそらく何度も話し合ったことを阿吽《あうん》の呼吸でやり遂げたんだぜ」

左右次が藤之助を見た。

「このことを引田様は承知にござろうか」

「いや、まだ申し上げておりませんや。知られれば、座光寺家はなんという養子を貰ったものかと慨嘆なされましょうな」

「親分、甲右衛門様もかんかんだろうな」

「なんとしても瀬紫をひっ捕まえて八百四十余両を取り戻し、死ぬまで客を取らせると怒ってなさる。見沼通船堀の話を聞いたら、さぞがっかりなされようぜ。甲右衛門さんは兎之吉と本宮様の探索にさ、一縷《いちる》の望みをかけておられたからな」

「親分、どうしたものかねえ」

「瀬紫と座光寺様と思《おぼ》しき侍の二人は姿を暗《くら》ました。だがな、二人とも江戸育ちだ。遠くには逃げるとも思えねえ。となると吉原で女郎を務めていた瀬紫より座光寺の殿様の付き合いを探るのがまず早道だ。こういう輩《やから》はまず悪仲間に頼るものさ」

藤之助は左右次の話を聞きながら座光寺家に圧《の》し掛かった悲劇を考えていた。

「親分、それがし、一度屋敷に戻ろうかと思う」

引田武兵衛からは左京為清の生死を、そして、包丁正宗の行方を突き止めるまで戻るに及ばずと厳命されていた。だが、座光寺為清と目される人物は瀬紫と一緒に何処《どこ》とも知れず姿を消していた。

藤之助もこうなれば左京為清の付き合いから手繰《たぐ》っていくしか手はあるまいと考えていた。なにしろ瀬紫は吉原という籠の中の鳥で三河島村の実家以外、江戸の暮らしを知らないのだ。その実家にはもはや頼るわけにはいかなかった。どんな理由があったか知らぬが、瀬紫と同行の侍は瀬紫の実父と実兄を殺していた。

「本宮様、それがいい。わっしと稲木楼、それに座光寺家が交わした約定《やくじょう》は未だ生きておりますよ。なんぞ手がかりがあれば互いに連絡《つなぎ》をとり合いながら二人の行方を追いましょうか」

「承知した」

「朝餉《あさげ》を食べていきなせえ」

左右次は探索から戻った藤之助の腹具合を案じてくれた。

藤之助は牛込山伏町の屋敷に戻る前、吉原に立ち寄った。朝餉を終えた兎之吉も一緒だ。

大門を潜り、仲之町から角町の通りに曲がった。

二人が江戸を留守にした間に吉原の焼死体の山の後片付けもほぼ終わっていた。

安政の大地震で吉原が受けた被害は江戸の中でも最悪だった。

畑銀鶏《はたぎんけい》の『時雨《しぐれ》の袖』によれば、

「廓《くるわ》内死亡の者、最初に聞きしは六百三十一人、内男子《うち》百四人、女五百二十七人、二度目に聞きしは、千百二十五人、三度目は千五百四十七人との事、いづれが正説なるか今に其《その》真偽分からず、廓中の者に問へども、まちまちにて人毎《ごと》に違へり」

とある。

吉原二万余坪の隔絶された世界で無数の男女が地震に襲われ、炎にまかれて黒焦げで死んだ。その死骸がだれか判別がつけられないままに浄閑寺《じょうかんじ》の境内に大穴を掘って次々に放り込んで埋めたのだ。性別も身分もあったものではない。

稲木楼の跡地では今日も番頭の和平が指揮をして男衆を地下の穴蔵辺りに潜らせて、貯えていた金子を探させていた。

「見付からないかねえ、番頭さん」

兎之吉が聞き、

「兎之さんかえ、なんど探してもないよ。瀬紫め、あざといことをしのけたものさ」

と和平が力なく顔を横に振った。

藤之助は初めて覗《のぞ》く地下の穴蔵の大きさに驚いた。

幅一間奥行き一間半ほどで、その深さは一間半もあった。床と四方は大谷石を積み、床には一尺の深さまで水が張ってあったと思われた。

藤之助らが死骸の片付けをしたときには地中にこのような蔵が隠されているなど考えもしなかった。焼け落ちた材木や畳が蔵の中に折り重なっていたからだ。

藤之助は地獄の中で命も顧《かえり》みず金子に執着する男女二人の行動に暗澹《あんたん》たる思いを抱いていた。その一人は藤之助の主なのだ。

「おまえさん方、瀬紫を追っていたんではないかえ。捕まえたかね。その面つきは取り逃がしたねえ」

「和平さん、おめえさんが思っている以上に瀬紫は悪党だぜ、邪魔になったか、親父と兄を殺して逃げやがった」

和平が呆然とその言葉を聞いて、なにかを言いかけたが黙り込んだ。

「番頭どの、瀬紫にはわが殿の他に馴染《なじ》みの客はいなかったか」

「お侍、むろんあれだけの売れっ子女郎だ。馴染みはいましたさ。だがね、吉原を足抜けしたばかりか妓楼の蓄えを八百何十両も持ち逃げし、さらには父親やら兄まで殺した咎人《とがにん》を匿《かくま》う者がいるものですか。それに江戸じゅうの人間はおのれ一人の身さえままならないのですぜ」

力なく頷《うなず》く藤之助に兎之吉が聞いた。

「屋敷に戻られますかえ」

「そうしよう」

藤之助は仲之町へと足を向けた。

江戸は藤之助にとって希望の都だった。江戸藩邸に奉公して、江戸の名立たる道場で剣の修業がしてみたい。

お玉ヶ池の北辰《ほくしん》一刀流千葉《ちば》周作《しゅうさく》道場、アサリ河岸《がし》の鏡新明智流《きょうしんめいちりゅう》　桃井春蔵《もものいしゅんぞう》道場、さらには神道無念流《しんとうむねんりゅう》斎藤弥九郎《さいとうやくろう》道場、藤之助が訪ねて稽古《けいこ》を乞《こ》いたい道場はいくらもあった。だが、それも一夜にして瓦解《がかい》した。

（致し方ないわ）

今は与えられた使命を全うするときだ、その先はその折に考えればよいことだ。藤之助は自らに言い聞かせ、引田武兵衛と夜に辿《たど》った御蔵前通りを南に進んだ。

この数日のうちに江戸は驚くほど復興していた。

道端に山積にされていた死骸の山があらかた消え、大店では整地も終わって仮店の建設が始まっていた。

御米蔵の前ではようやく鎮火した蔵の扉が開けられ、燃えた米俵の残骸が運び出されていた。その米俵に燃え残りはないかと無数の男女が群がっていたが、いったん火が入って焼け焦げた米は食べられた代物ではなかった。それでも諦めきれない女たちが路上に零《こぼ》れた焼け米を笊《ざる》に拾う光景が見られた。

藤之助はうろ覚えの記憶を頼りに神田川を上流へと進んだ。すると神田川の流れに町方の御用船が浮かび、まだ流れに浮かぶ死骸を回収していた。

藤之助が座光寺家の江戸屋敷に辿り着いたのは昼前の刻限だった。

この日、表門が開かれ、門衛が二人役に就《つ》いていた。その一人は都野新也だった。

「おおっ、藤之助か。なんぞ判明したか」

藤之助は顔を横に振った。

「左京様の生死も未だ分からぬか」

藤之助は曖昧《あいまい》に頷いた。

復命すべきは江戸家老の引田武兵衛その人だからだ。

「ご家老にお会いしたい」

うーむと頷いて玄関へ行きかけた都野が、

「藤之助、そなたと一緒に山吹領を出た四人だがな、引田様は四人ともに山吹領に戻された。今頃はなにも役に立てなかった無念さを胸に小仏峠を越えているころであろう」

と耳打ちした。

藤之助は返答のしようもなかった。

都野の知らせに引田が藤之助を引見した。

「藤之助、屋敷に戻ったということはよき知らせであろうな」

「ご家老、よき知らせとも思いませぬ」

「なにっ、よき知らせもなく屋敷に立ち戻ったというか」

引田の表情が曇り、それでも、

「報告せよ」

と命じた。

藤之助は左右次の前で兎之吉が報告した要領を真似《まね》て、三河島以来の出来事を語った。

引田の顔が途中から引《ひ》き攣《つ》り、何度も、

「なんということを」

「座光寺家は破滅じゃあ」

とか呟いた。

最後に吉原を抜け出た二人の男女が稲木楼の金子に手を付けていったと聞かされた引田武兵衛の顔は真っ青に変わり、頬《ほお》の肉をぴくぴくと痙攣《けいれん》させた。

話が終わっても引田はしばらく立ち直れないようで黙り込んでいた。

「藤之助、そなた、瀬紫と一緒に逃走を続ける人物が座光寺左京為清様と思うか」

藤之助は、分かりませぬと答えた。

「その男女に会わぬまでも足跡を辿ったそなたではないか。なんぞ感じるものはないか」

「今一つ曖昧にございます」

「なぜかその理由を申せ」

「地震の夜からの瀬紫の行動を考えるとき、左京様であると考えるのが自然にござい
ます」

引田が力なく頷いた。

「ご家老、それがし、左京様のお人柄を存じませぬ。瀬紫とこのようなことをなさる
お方かどうか判断が付きかねます」

「もっとものことよ」

と答えた引田の言葉は弱々しかった。逡巡沈思した引田は重い吐息と一緒に話し出
した。

「座光寺家は間違いを犯したわ、左京様を養子に迎えるとな」

藤之助はただ聞き入った。

「われらは高家肝煎《きもいり》の三男という血筋を買った。だが、間違いであった」

と再び引田は同じ言葉を繰り返した。

「理由はあった。まず高家肝煎という品川家の家柄に惹《ひ》かれた。内外ともに多難な時
期に幕閣に近い筋に縁戚をもうけておきたいという保身からよ」

引田は自嘲《じちょう》した。

「だが、これだけで左京為清様を選んだわけではない。座光寺家の頭領は文武に優れた士でなければならぬ。知略を有し、大胆でなければならぬ」

「左京様はそれを兼ね備えられたお方なのでございますね」

引田は頷いた。

「高家肝煎とはそもそも宮中への使節、日光の代参、勅使、朝廷の使者参府の折の接待などと文官の職掌である。それだけに権謀術数が得意だ。ところが左京様は身の丈六尺、膂力《りょりょく》に優れ、剣は丸目《まるめ》蔵人《くらんど》のタイ捨流《しゃりゅう》の遣い手でな、その他に林崎《はやしざき》夢想流《むそうりゅう》の居合をよく遣われる。だが、それを承知なのは家中でも片桐神無斎様とそれがしだけだ」

藤之助が初めて知る主の隠された正体だった。

「左京様は座り居合なる秘術を独創なされているそうだが、片桐様もそれがしもわれらはその秘剣がどのようなものか知らぬ」

「座り居合にございますか」

藤之助は対座した姿勢から抜き打つという座り居合術を聞いたことはあった。だが、どのようなものか考えもつかなかった。

「ともあれ、左京様は文武に通暁《つうぎょう》した武士であることに間違いはない。座光寺家はそこに惚《ほ》れて養子に迎えることにしたのだ」

「はい」

「だが、左京様にはわれらが知らぬ貌《かお》をお持ちであったわ」

引田は重い息を吐き、憂慮の表情を見せた。

「家老、どうなされますか」

「直参旗本座光寺家の当主が地震の夜に吉原に遊びにいっていたばかりか、騒ぎに紛れて楼の金を盗み、遊女を足抜けさせ、遊女の父親と兄を殺したなどという評判がお上に聞こえてみよ。座光寺家は断絶だぞ」

「ですが瀬紫と一緒に行をともにする武家が左京様と決まったわけではございませぬ」

「では、左京様はどこに行かれた」

幾たびも交わされた問答だが、藤之助は返答に詰まった。

状況はすべて瀬紫と一緒の武士が座光寺左京為清であることを示していた。

「藤之助、そなたは江戸藩邸勤番《きんばん》になったが役に就くことは不要じゃ、あらゆる知恵を搾《しぼ》り出し、左京様の行方を追え。家中には猪熊と磐田殺しの下手人の探索をしておると説明しておく」

「ご家老、左京様を探せと申されましても皆目《かいもく》見当がつきませぬ。左京様の遊び相手をどなたかご存じございませぬか」

「品川家の家臣で露崎《つゆさき》四郎九郎《しろうくろう》と申す者が左京様の幼少の頃からの遊び相手でな、当家にもしばしば出入りしておった。だが、地震以降全く顔を見せぬところがちと怪しい」

「品川家はどちらに屋敷がございますので」

「半蔵《はんぞう》御門外にて品川式部大夫《しきぶたいふ》様の屋敷と聞いてみよ」

と答えた引田は、

「そなた、地理が不案内であったな、だれぞ付けさせよう。だが、探索の内容、他言無用だぞ」

と念を押した。

二

引田武兵衛が案内人に選んだのはなんと若い奥女中の文乃だった。

玄関先で待つ案内人が文乃と知ったとき、

「そなたが道案内をしてくれるというのか」

と聞き返したほどだ。

「はい」

文乃も緊張の様子で答え、二人は都野新也らに訝《いぶか》られながらも屋敷を出た。

藤之助は一刻ばかりの仮眠が許されたので気分は爽快だった。だが、まさか文乃が同道するとは思わず、話しかけてよいものかどうか迷いながら文乃に従っていた。

屋敷の門が見えなくなり、道が神楽坂に差し掛かった。すると文乃がふいに藤之助を振り返り見て、

「文乃の案内ではご迷惑ですか」

と訊いた。

その顔には笑みが浮かび、これまで屋敷で接していた堅苦しい表情は消えていた。

「そのようなことはない」

と即答した藤之助は、

「ちと驚いただけだ」

と言い足した。

「文乃も驚きました。これまでこのような御用を命じられたことはございません」

「迷惑か」

「いえ、屋敷を出られて清々しています」

こう言い放った文乃の顔は生き生きと輝いていた。

「そなた、町家からの奉公か」

「はい。私の家は麴町《こうじまち》で武具屋を商っております」

「どうりでな」

藤之助は思わず得心していた。

「どうりとはどういうことですか。口が軽いということですか」

文乃が切り口上で問い直す。

「そう申すな。それがしも今のそなたのほうが話し易い。まるで子供の折の仲間同士に戻ったようだ」

文乃が頷いてどことなく満足の様子を示した。

神楽坂を下った二人は外堀を眺めながら牛込御門の坂道に差し掛かった。

御堀の石垣が何ヵ所も崩れているのが見られた。すでに御救《おたす》け小屋は姿を消していた。

この界隈では地震は過去のものとして忘れ去られようとしていた。

牛込御門を潜り、旗本家の屋敷が並ぶ武家町に入っていった。

それでもちらほらと土塀や築地塀《ついじべい》が壊れた屋敷や門が傾いた御家人屋敷が見受けられたが、浅草界隈の壊滅状態とはほど遠く被害も軽微だった。

「本宮様のお顔が変わられました」

「どういうことか」

「お国から屋敷に訪ねてこられたときとはお顔が違います」

「いきなり湯屋の対面だからな、互いに驚いたわ」

文乃が裸の藤之助を思い出したか顔を赤らめ、

「いえ、そうではございません。ただ今のお顔はまるで別の方のようにございます」

「そうか、そうかのう」

文乃がなにを感じ取ったのか藤之助はしばし考え、

「本宮藤之助の顔付きが変わったとすれば、吉原という地獄を見たせいだ。そなたが想像もできぬ世界であったわ」

「ご家老様が老女およし様と話しておられるのを洩《も》れ聞きましたが、本宮様は吉原で焼け跡の死骸を片付けられる手伝いをなされたとか。怖くはございませんでしたか」

文乃は真剣な様子で聞いた。

「気味のよいものではない。だがな、怖くはないぞ。同じ人間だからな、一人の亡骸《なきがら》と出遭うたびに極楽に参られよと言いかけながら始末した」

足を止めた文乃が藤之助の顔を、

じいっ

と見入り、

「本宮様は江戸に起こっていることから目を逸らされようとはなさらず、亡くなられた方々が訴えられることを聞き届けようと努めなされた。そのせいでしっかりとしたお顔に変わられたのです。そうに決まっているわ」

と言い切った。

「屋敷に飛び込んできたときのおれは田舎の餓鬼そのものであったか」

いつしか藤之助の言葉遣いは座光寺領の友同士のものに変わっていた。

「そうは申しませぬ。ですが、今の本宮藤之助様のお顔はご立派です、神々しく輝いておいでです」

「褒めてくれるのはそなたくらいだぞ」

藤之助は苦笑いした。

「本宮様、左京為清様は生きておいでですか」

文乃の話柄が変わった。

「おれの勘では生きておられる」

と思わず答えた藤之助は狼狽《ろうばい》した。

「いや、これは内緒のことであったわ」

「本宮様、ご安心下さいませ。本宮様に迷惑がかかるようなことを文乃は決して致しませぬ。内緒と申されればどなたにも口外は致しませぬ」

文乃がふいに小指を藤之助の前に突き出した。

藤之助がなんの真似かと訝っていると、

「本宮様、右手の小指をお貸し下さい」

藤之助は文乃に命じられるままに小指を立て、差し出した。すると文乃の白くて細い指が藤之助のそれに絡み、

「指きりげんまん嘘ついたら針千本呑ます、ほんとのほんと」

と言うと絡み合った小指を上下に揺すった。

「これで大丈夫だわ」

藤之助は文乃の大胆な行動に呆気にとられていた。だが、内心では、

(江戸に出てきてよかったぞ)

と胸の奥から熱くこみ上げるものを感じていた。

二人は再び歩き出した。

「左京為清様はどのようなお方か。それがしにはさっぱり見当もつかぬ」

「あら、またおれからそれがしに戻られたわ」

と笑った文乃が、

「なんだか気味の悪いお方です」

と言い放った。

「気味が悪いとはどういうことか」

「だって左京様が口を利かれたのを見たのは、この数年のうちに何度しかないんだもの」

「武家は無用の口を利くべからずと幼少の折から躾《しつ》けられたのであろう」

文乃が顔を横に振った。

「座光寺家を馬鹿にしていたのだと思うわ。左京様の実家は高家肝煎、江戸の麴町育ちでしょ。役に就きたい旗本方やら、時には大名諸家が貢物を持って教えを乞いにこられるお屋敷よ」

「一方、うちは伊那谷の山猿旗本か」

文乃がにっこりと笑った。

その文乃がなにかに気付いたように体を固まらせた。

「どうした」

「なんてことか、気が付かなかった」

文乃が呟き、藤之助は驚きの文乃を見守った。

「本宮様と左京様は似通ったところがおありになる」

その言葉はまだ驚きを残していた。

「それがしが座光寺左京為清様と似ておるとな」

「まず背丈が同じようにお高いわ。お顔の輪郭も似ておられる。それに年頃もほぼご一緒だわ」

といくつかの共通の特徴を挙げた文乃が、

「でも、まるで違うの」

「今度は違うか」

「闇に潜んでこちらの様子を窺《うかが》う野良猫の目が左京様だわ。絶対に油断がならないもの。だけど本宮様は真夏にきらきらと輝くお天道《てんと》様のような明るい光よ、だれにも同じ光を恵んでくれそうです」

「伊那谷で気楽に育ったからな」

「それだけかしら」

と応じた文乃が、

「ああっ、これが麹町に向かう麹町三丁目横町通りよ」

と屋敷が道の左右に並ぶ通りの名を告げた。

「本宮様、もはや左京様は座光寺家にはお戻りにならないのね」

「ちと仔細《しさい》も生じておる。戻られるにしてもそう簡単なことでは済むまい」

と答えた藤之助は、

「但《ただ》しだ、それがしが追っている影がほんとうに座光寺左京為清様なればの話だ」

「左京様は馴染みのお女郎さんと一緒に逃げておいでというのは、ほんとの話なの」

「よう承知だな」

「旗本屋敷なんて話が筒抜けよ」

「そうか、ご家老は内密じゃと念を押されたがな」

「むろん知らないことが沢山あるわ、深くは分かりっこない。でもね、大体の感じはなんとなく伝わってくるの」

頷いた藤之助は、

「左京様とおぼしき影は確かに瀬紫と申す遊女を同道しておられる」

「これからも本宮様が逃げるお二人を追っていかれるのね。屋敷が嫌だと申される左京様なら放っておかれればよいのに」

「武家の家はそうもいかぬ。当主がいなければ座光寺家は立ち行かぬ」

「だって嫌だから屋敷に戻られないのでしょう」

「まあ、そうだ」

「だとすれば本宮様の探索は無駄だわ」

「そうかのう」

「そうよ」

文乃の主張は明白だった。

二人はいつしか屋敷町を抜けて広大な火除け地に差し掛かっていた。幅何十間もの空き地の帯が東西に延びていた。

「この火除け地が屋敷町と町家の境なの、うちはあちら」

と文乃が行く手の町屋を指した。

「そなたの家は武具屋と申したな」

「うちは長いこと商いがうまくいかなかったの。だって戦《いくさ》がなくなり、甲冑《かっちゅう》だ、鎧《よろい》だって求める人なんていないもの。それが異国の船が姿を見せるようになったでしょう、そのせいか、急に新しく甲冑などをご注文なさるお武家様が増えてようやく商いが立ち行くようになったの」

文乃が実家の実情を告げると、

「私はねえ、まだ商いがうまくいかなかった時代にお父つぁんが座光寺様の先代にお願いして、行儀見習いに出されたの」

二人は麴町三丁目の辻に立っていた。

「左京様のご実家はどちらかな」

文乃は今来た道を振り返り、

「通り過ぎたわ」

と言った。

「なにっ、話に夢中でうっかり通り過ぎたか」

「違うの。本宮様をまずうちにご案内することにしたの」

藤之助は、なぜだ、という顔で文乃を見た。

「だって本宮様は左京様の行方を追うために来られたのでしょう」

「左京様の遊び相手の露崎四郎九郎と申される方の行動を探れば、左京様の行き先が知れるのではという狙いでな」

「ほらね」

と文乃が言い、

「品川家のある屋敷町にふらりと行ったところで門の中にも入れないわ。外から見張っていれば屋敷の門番に怪しまれる」

武家屋敷町近くに育った文乃は武家方の考えや行動を承知していた。

「いかにもさようだな、なんぞ工夫がいるな」

「工夫がおあり」

「まだなにも考えておらぬ」

「だから、うちに行くの」

「行ってどうする」

「ここいらの武家屋敷はどこもお得意よ、品川様も出入りのお屋敷です」

「ほう、それは考えもせなんだ」

「番頭の篤蔵《とくぞう》に相談すれば本宮様が品川家に入り込む知恵を考え出してくれるわ」

「よいのか、そのような親切を受けて」

「座光寺家は私の奉公先でもあるのよ。主家のために働く、当たり前のことだわ」

藤之助は大きく頷くと麴町の通りを眺《なが》めた。

江戸期、麴町を冠する通りは一丁目から十三丁目まであって、内堀の半蔵門から外堀の四谷御門、さらには四谷御門外にも長く延びていた。

「ほら、あそこがうちのお店」

文乃は麴町二丁目の南側にある武具商甲斐屋佑八《かいやすけはち》と看板の掛かる店を指した。

麴町一、二丁目は大名家や大身旗本の屋敷を控え、御用達商人、町人が多い町だった。

甲斐屋佑八も店構えからして老舗《しにせ》の趣があり、間口十二、三間はありそうに思えた。

「うちは鎧兜から弓、槍、刀剣、馬の鞍《くら》、鐙《あぶみ》と鉄砲以外ならなんでも扱うの。職人衆の上前をはねる商いね」

文乃があっけらかんと言った。すると、

「あっ、お嬢さんだ」

と土間にいて菰包《こもづつ》みを解いていた小僧が叫んだ。

「則吉《のりきち》、元気」

「お嬢さんも元気そうだ」

「元気だけが取りえよ」

店に戻った文乃はさらにちゃきちゃきした町娘に戻った。

小僧の則吉が藤之助のことを気にして見ていた。

「お父つぁん、おっ母さんはお元気」

「元気過ぎて奉公人が困ってますよ」

文乃が声を立てて笑った。

「お嬢様、なんですね、店先で笑い声を上げなすって」

帳場格子から眼鏡を掛けた番頭が睨《にら》んだ。

「番頭さんもお元気そうだわ」

「はいはい、篤蔵はお蔭様で無病息災にございますよ」

と笑みも浮かべず答えたものだ。

文乃はさっさと帳場格子のかたわらまで上がると後ろを振り向き、

「番頭さん、こちらは座光寺家の本宮藤之助様、お国から出てきたばかりなの」

と藤之助を紹介した。

「篤蔵にございます」

「本宮にござる」

二人が挨拶しあうのを横目に文乃が、

「篤蔵、知恵を貸してほしいのだけど」

「なんでございますな」

「高家肝煎の品川様になんぞ御用はないの」

「いきなりでございますな。またなんでそのようなことを」

篤蔵は藤之助と文乃を等分に見た。

「内容はいえないけど、座光寺家の御用よ」

「用事を作れと申されればなんとか考えますが」

「そのときね、この本宮様をお連れしてほしいの」

「まさか座光寺様のご家来が品川様に奉公替えをなさろうという話ではございますまいな」

「そんな不忠に文乃が手を貸すわけはないわ。これは内緒のことよ」

「はい、お嬢様が内緒にせよと申されれば内緒に致しますがな」

「座光寺の殿様がこのところ行方知れずなの、もしかして実家にお戻りか、あるいはどこかに隠れておいでではないか探りたいの」

「それは座光寺様にとってどえらいことですな。町家ではしばしば嫁が家に帰されることはございますが、座光寺様では養子様が実家にお戻りですか」

「だから、密かにそれを知りたいの」

篤蔵がまだ上がり框《がまち》に立つ藤之助を見た。

「お武家様の格好では品川様の屋敷にお連れするわけにはいきませんな」

「ならば番頭さん、手代かなにかに化けさせてよ」

「お嬢様はえらくあっさりと申されますな。これは旦那様にお許しを得なければなりませぬ」

「番頭さんがどこぞに女の人を囲っていることをお父つぁんに聞いてもらおうかしら」

「えっ！　それをご存じで」

「田町の裏、紀州新宮《しんぐう》藩のお屋敷裏だったかしら。おそねさん、お綺麗な女《ひと》よね」

「文乃お嬢様は子供時分から油断のならない人でしたが、屋敷奉公でまた一段と手を上げられましたな」

と呻《うな》った篤蔵が、

「ようございます。私がここはひと知恵、頭を絞りましょうかな」

「さすがにうちの番頭さんだわ」

文乃と篤蔵がにっこりと笑い合い、期せずして藤之助を見た。

藤之助は二人の間になにが話されたか分からないまま会釈していた。

三

およそ半刻後、甲斐屋佑八の通い番頭篤蔵が背の高い手代に風呂敷包みを背負わせ、麴町の通りを横切り、火除け地の空き地に入っていった。

「本宮様、そなたの名は藤吉《とうきち》、よろしいですな」

「畏《かしこ》まって候」

「ほれ、それがいけませぬ。うちは武具屋、商人と申しても職人気質の者が多うございます。べらべら喋るのは禁物、今日は黙っておいでなさい」

「はい」

「それでよろしい、藤吉」

と安心した篤蔵が、

「それにしても座光寺様はえらいことですな。品川家から養子に入られた左京様が吉原通いの果てに地震の夜、行方を絶ったというのですからな」

番頭の手を借りる以上、掻《か》い摘《つま》んで事情を話したほうが今後うまくいくと文乃は藤之助に忠告した。

「うちの奉公人は武家屋敷に出入りするので格別に口が固いの、篤蔵はそれも年季が入っているのよ」

とも付け加えた。

そこで藤之助は地震の夜に座光寺左京が馴染みの遊女と吉原を逃げ出て、遊女の実家、さらには兄が養子に入った見沼通船堀の名主板東家と転々とした末に再び行方を絶ったことを話していた。

「逃げておられる人物を左京様と仮定して、もはや座光寺家に戻られることは難しゅうございましょうな」

「番頭さん、それがし、いや、私の務めは左京様の生死を突き止め、屋敷に連れ戻すことにございます」

ふーうっ
と一つ溜息を吐いた篤蔵が、

「品川様のお屋敷は武家方の中でも横柄な家風、門番になにをいわれてもへいへいと腰を低くしているのですよ」

　と念を押した。

　二人は火除け地を横切り、屋敷町の通りに入っていた。文乃と歩いてきた麹町三丁目横町通りだ。篤蔵はその通りを半丁ほど後戻りした末に城の見える方角、東へと曲がった。

「あれが品川様のお屋敷です」

　篤蔵の声に両番所付きの見事な長屋門を今しも行列が出てこようとしていた。

　屋敷の敷地は三、四千坪はありそうだ。門、塀、式台のある玄関とどこをとっても綺麗に手入れがなされていた。

「あの行列は主の猟官に参られたどこぞの大名家の留守居役です」

　と藤之助に囁いた篤蔵が、

「これからは甲斐屋佑八の手代ですぞ」

　と再び念を押した。

「ご門番、甲斐屋にございます。ご家老佐竹兵庫《さたけひょうご》様より鍔《つば》のおもしろいものが手に入ったら見せよとのお頼みがございましてな、東雨作《とうう》の得がたい逸品がうちに参りました。早速佐竹様にとお伺いした次第にございます」

「おう、そうか」

門番の一人がこれまた立派な普請の玄関へと二人を案内し、玄関番の若侍にその旨を告げた。早速奥へと若侍が姿を消した。

「助かりました」

と門番の侍に近寄った篤蔵がさあっと紙包みを袖に投げ込み、

「そういえば露崎四郎九郎様のお顔を近頃お見かけ致しませぬがどうなされておられますな」

と聞いた。

袖口に小遣いを投げ入れられた門番の侍は、

「露崎様か、屋敷におられるぞ」

「いえね、過日、お供でうちに参られた折、差し料の塗りがちと薄くなっていたとお見受けしました。露崎様のお刀をお持ちになるように伝えて下され。お直ししますでな。なあに修理の間の差し料の代わりはうちでご用意致しますよ」

と囁いた。

「早速申し上げておこう」

式台に若侍が戻ってきて篤蔵が、

「藤吉、その荷を下ろしなされ。そしてな、邪魔にならぬように玄関脇の供部屋でお待ちなされ」

というと藤之助が負ってきた風呂敷包みを抱えた篤蔵が若侍に案内されて奥に消えた。

「手代、こちらに参れ」

門番の態度が急に横柄なものに変わり、藤之助は内玄関を回ったところにある別棟の供部屋に入れられた。

土間と板敷きからなる供待ち部屋の広さはかなり広く、品川家に嘆願にくる訪問者が多いことを示していた。板の間では二人の供侍が上司の用が済むのを待っていた。

板の間には火鉢が置かれ、鉄瓶が掛かっていた。

「手代、ここにて待て」

「はい」

藤之助は腰を屈めて返答し、上がり框《がまち》に浅く腰掛けた。

門番の侍が姿を消すと先客の供侍が、

「相変わらず遅いのう」

「よう待たされるわ」

とぼやき合うのが耳に入った。そして、なんぞ退屈しのぎにと考えたか、藤之助のほうを見たが藤之助は二人に背を向けていた。仕方なく二人がまたぼそぼそと話し出した。

「うちの内所はいよいよ地震で酷《ひど》くなった。給金も当分駄目だな」

「忠春《ただはる》様がお役に就かれると助かるのだが」

「品川様頼りだがうちは賂《まいない》の額が小さいからな。駄目であろう」

そんな言葉が藤之助の耳に入ってきた。

内所が苦しいのは座光寺家ばかりではないらしい。

座光寺家では伊那谷に領地と代々受け継がれてきた山林を所有していた。伊那谷の知行地で座光寺の当主と家臣が暮らす分にはさほどお金も掛からなかった。

すべてが高値の江戸で体面を保ちつつ暮らしを立てねばならぬ旗本家よりも座光寺家のほうが楽か、いや、江戸と領地の二重の暮らしがやはりきついであろうかなどと思い直したりした。

ふいに入り口に若い影が立った。

「そのほう、甲斐屋の手代か」

上がり框から慌てて立ち上がった体の藤之助は、

「さようにございます」

と腰を屈《かが》めて挨拶した。

「番頭がそれがしの佩剣《はいけん》の塗りを気にしてくれたそうだな」

どうやら左京と幼少の折から遊び仲間の露崎四郎九郎のようだ。若い割には横柄な態度だ。

「はい、篤蔵はもし露崎様にお目にかかるようなれば、明日にもお店に来られるように私に申して奥に向かいました。露崎様、どうかお店にお出かけ下さいませ」

「甲斐屋佑八はわれら若い者には敷居が高い武具屋だが、番頭がそれがしの刀にまで目を配ってくれようとは考えもしなかったわ、感激の至りである。早速明朝伺うと伝えてくれ」

「お待ちしております」

露崎四郎九郎はがっちりとした体格で腰がどっしりと安定していた。その挙動からなかなかの剣の遣い手と推測された。

「では頼んだぞ」

「承知しました」

くるりと後ろを見せた露崎の背はどことなく嬉しそうだった。

供待ち部屋でさらに四半刻、一刻と時間が過ぎ、

「甲斐屋手代、番頭の用事が済んだ」

という門番の侍の声に藤之助は立ち上がった。すると二人の先客が大きな溜息を吐いた。


甲斐屋佑八に戻ると店はすでに表戸を下ろしていた。だが、戸が下ろされた店では奉公人たちが修理を請け負った刀剣や注文を受けた品を確かめたりしており、帳場格子の中では古手の奉公人が集まり、帳簿付けが行われたりしていた。

「ご苦労様にございます」

大勢の奉公人が自ら商いに出た番頭の篤蔵を労《ねぎら》った。その声に奥から文乃が姿を見せた。

文乃は心配して二人の帰りを待ち受けていたようだ。

「どうだった」

と文乃が篤蔵に聞いた。

篤蔵はぽーんと胸を叩き、

「篤蔵が出馬したのです、お嬢様、案じめさるな」

と答えたものだ。

帰り道、藤之助は供待ち部屋に姿を見せた露崎四郎九郎のことを篤蔵に告げていた。

「ならば明日にも露崎様は姿を見せられましょう。その後は本宮様の腕次第です」

「番頭どののお蔭でなんとか手がかりが得られそうだ」

と答える藤之助に文乃が、

「本宮様、江戸の商家に泊まる機会なんてないでしょう、うちに泊まって明日をお待ちなさいな」

と薦めた。

「屋敷に戻らなくて大丈夫であろうか」

「引田様が本宮様のただ今のお役目は左京様の一件だけだ、自由にさせてよいとおっしゃられたわ。私も今日は宿下がりよ」

文乃は麹町に泊まることを許されていることを藤之助に伝えた。

「ならば厄介になる」

藤吉から藤之助に戻り、甲斐屋で貸し与えられた縞木綿の袷《あわせ》から江戸屋敷で与えられた衣服に着替えた。

脇差を差し、藤源次助真《とうげんじすけざね》を手に店に戻ると篤蔵が、

「失礼ながら本宮様のお家は裕福であらせますか」

と聞いた。

「それがしの家か。座光寺家でわずか七石、代々神官を兼ね、さらに百姓仕事から山仕事をこなして暮らしを立てる家にござる。裕福とは縁遠い家です。この召し物も江戸屋敷で借りたものだ」

藤之助は羽織の袖を引っ張って見せた。

「いえ、お手の刀が気になりましてな」

さすがに武具屋の番頭、拵《こしら》えから刀が只ものではないと推測したようだ。

「此度の江戸行きに際し、父が神社に伝わる宝剣を下し置かれた。なんでもわが先祖が伊那谷で雪に遭難しかけた朝臣を助けたとか、その返礼にと置いていかれたものだそうです」

「拝見させてもらってよろしゅうございますか」

「お望みなれば」

藤之助は篤蔵に差し出した。

さすがに武具屋の老練な番頭だ。刀の扱いも見事なものだった。

まず刀の拵えを柄頭《つかがしら》から鐺《こじり》まで仔細に点検し、下げ緒を確かめ、小柄、笄《こうがい》、目貫《めぬき》と三所物《みところもの》を堪能するように眺めた。

「鍔は京の金工埋忠明寿《うめただみようじゆ》の作ですな。三所の品といい、鍔といい、文句のつけようがございません」

と呟いた篤蔵は口に懐紙を咥《くわ》え、すらりと刃渡り二尺六寸五分の長剣を抜き、行灯の明かりに刃を翳《かざ》した。

じっくりと豪壮華麗な刀身に眺め入った篤蔵が、

「相州鍛冶の祖、新藤五《しんとうご》国光《くにみつ》の師、助真の一剣と見ましたがいかがですか」

「父からも助真と聞いております」

「この刀は家康様が愛しまれた名物日光助真にも勝るとも劣りますまい」

篤蔵は奉公人の何人かを呼んで、

「そなた方も武具屋の奉公人、かような逸品にお目にかかる機会もありますまい。よくよく助真を堪能なされ」

と助真を見せた。

篤蔵が藤之助を改めてみた。

「助真には血糊が付着しておりますな、手入れさせてもらってようございますか」

甲斐屋佑八には刀の研ぎ師を始め、武具の修理から手入れをする職人が揃っていた。

「お願いしてよろしいか」

「江戸に出て使われましたな」

頷く藤之助に、

「どうやら左京様の失踪は女郎に惚れてという他愛のないものではないようですな。これからも助真が力になりましょう」

と言った篤蔵が、

「それにしてもこの長剣の助真を遣いこなされるとは」

と感嘆したものだ。

夕餉《ゆうげ》を甲斐屋佑八の住み込みの奉公人たちと一緒に食べた藤之助は文乃の好意で奉公人の部屋ではなく、一人部屋に寝かされた。

藤之助は江戸に出て初めてぐっすりと熟睡した。

次の日、露崎四郎九郎は四つ（午前十時）過ぎには甲斐屋佑八の店に姿を見せた。

「おおっ、よう来られましたな」

目敏《めざと》く姿を認めた篤蔵が声をかけ、

「厚かましくも参上致した」

「品川様のお仕えのご家来のお刀がそれではようございませぬよ、露崎様。甲斐屋の職人が拵えと塗りを生まれ変わらせてご覧にいれますよ」

「番頭、とはいえ、それがし、若輩の身だ。そう手入れ料を用意できぬ」

「露崎様、私が声をおかけしたのです。お代を頂こうなどとは考えてもおりませぬ。品川家には日頃から世話になっているお返しにございます」

「よいのか」

「これから出世なされようという方が、些細《ささい》なことに斟酌《しんしゃく》してはなりませぬ」

篤蔵が差し出された露崎の大小拵えの両刀を受け取り、

「無銘にございますが小田原相州もの、康正《やすまさ》にございます」

と代わりに朱塗りの大小拵えを差し出した。拵えも立派で真新しかった。

「これを借りてよいのか」

「好きなだけお使い下さいな」

篤蔵の言葉に思わずにんまりとした露崎が、

「拝見したい」

と北条氏の城下町小田原で作刀された小田原相州康正を抜いた。しばし沸《にえ》づいた湾《のた》れ調の刃文に眺め入った露崎が、

うーむ

と唸った。

「ご不満ですか」

「番頭、不満などあるものか」

「ならばご自由にお遣い下さい」

頷いた露崎が両刀を腰に手挟んだ。

「お似合いでございます」

と答えた篤蔵が、

「お気に入られたから申すのではございませぬ。この康正、うちでも自慢の品にございますよ。朋輩衆にご覧頂いてもまず恥ずかしい品ではございませぬ」

「いかにも」

露崎四郎九郎が礼もそこそこに甲斐屋佑八の店を出た。

「これからは本宮様の腕次第です」

その様子を店の奥から眺めていた文乃が藤之助に言い、一文字笠を手渡した。

「文乃どの、世話になった。番頭どのにも礼を述べてくれ」

「同じ屋敷の奉公人同士よ、礼なんて無用だわ」

と微笑む文乃に会釈した藤之助は露崎の後を追って甲斐屋を出た。

露崎は麴町の通りを飛び跳ねるようにして火除け地へと向かっていた。どうやら品川家の屋敷に戻るようだ。となると露崎はすぐには行動せぬかと、藤之助はがっかりした。

それでも文乃から渡された一文字笠を目深《まぶか》に被り、尾行を開始した。

藤之助の腰には手入れされた助真があった。

篤蔵が甲斐屋佑八の研ぎ師に命じて手入れさせたのだ。

藤之助は江戸に出てこれほど壮快な気分で町を歩いたことはなかった。唯一つの懸念は露崎が屋敷に戻ろうとしていることだけだった。

(致し方ないわ、長期戦を覚悟するか)

と藤之助が覚悟したとき、露崎は麴町三丁目横町通りから品川家へ曲がる辻に差し掛かっていた。

だが、露崎の足は屋敷へと曲がらずさらに横町通りを三番町の方角へと進んでいく。

(これはひょっとしたら……)

藤之助は身を引き締めて武家屋敷が連なる町並みをひたすら尾行を続けた。

四

露崎四郎九郎は弓馬稽古場のかたわらを通り、急ぐ風も見せずゆったりとした足取りで東へ下っていく。

尾行する本宮藤之助は一丁ほど間を置き、従った。

地震で門が傾いた御家人屋敷では小者たちが屋根瓦を下ろして、柱の傾きを直そうとしていた。石垣が壊れた旗本屋敷もあった。

御堀を挟んで向こう岸に御三卿の田安、清水の屋敷が見えた。

道は階段へと変わった。

藤之助は知らなかったが九段坂《くだんざか》、別名飯田坂《いいだざか》という。江戸も半ば頃からの呼び名で屋敷を九つの段状に造成したことでの由来だ。

坂を下りきった露崎は俎橋《まないたばし》と書かれた橋を渡った。すると武家屋敷の規模が急に大きくなった。

こちら側は大身旗本や譜代大名の上屋敷が連なる界隈なのだろう。

藤之助は初めて歩く江戸城の御堀端《おほりばた》だった。

地震の後に起こった火事の焼け跡や焼け焦げた臭いが漂ってきた。さすがに焼け跡の始末は終えていたが、地震で半壊した長屋門や海鼠塀《なまこべい》が散見され、そのうちいくつかの屋敷には職人が入っているところもあった。

そんな御堀端を露崎は急ぐでもなく足を止めるでもなくほぼ東へと向かっていた。人や駕籠《かご》の往来が激しくなり、藤之助は露崎との間合いを少しずつ詰めた。なにより露崎に尾行を気にしている風が見えなかったことが間合いを詰めさせた理由だった。

御城の御堀に架かる雉子橋《きじばし》、一橋《ひとつばし》御門、神田橋《かんだばし》御門などを見物するように露崎の東行は続く。

行く手の御堀端が開け、さらに一段と人馬や乗り物や大八車や賑《にぎ》やかに往来する河岸に出た。

鎌倉河岸《かまくらがし》だった。

ここは江戸城が建設されたとき、資材揚場として開かれた河岸だ。それだけに歴史も古く、御城に近く、船着場の規模も大きかった。

河岸の船着場には荷船や猪牙舟《ちょきぶね》などが無数に泊まっていた。いつの間にか武家屋敷から町屋へと変わっていたのだ。

藤之助は露崎を見失わないようにさらに間を詰めた。歯切れのいい鉄火《てつか》な言葉が飛び交う町屋ではつい露崎を見失いそうになった。露崎だけを気にしていると木材を積んで現場へと走る大八車の職人に、

「お侍、ぼうっとして歩かないでくんな。こっちは尻に火がついてんだ、今日中に建前を終えろと命じられてんだよ！」

などと怒鳴られた。

御堀から東へと掘り抜かれた運河に架かる竜閑橋《りゆうかんばし》を渡り、徳川幕府開闢《かいびやく》以来の古町《こちよう》町人が住む一角に出た。

町屋の構えも一段と大きくなり、老舗《しにせ》が続く先に代々後藤家が差配する金座の塀と門が見えてきた。

露崎の足の運びは変わらなかった。

藤之助にはそれが行く先があってのことか、ただ江戸の町見物か判断がつかなかった。

藤之助は初めて見る建物や群衆や事物に気をとられないように神経を張り詰めて尾行した。

露崎は金座の先でひょいと左に河岸道へと曲がった。

江戸城と大川を結ぶ自然の細流に大きく手を入れて、舟運の便にと開削された日本橋川の河岸道、長さ九百五十間、幅三十六間から六十間だった。

藤之助は天竜川で一年かけても見ることの出来ない無数の舟を眼前に見た。

荷足り舟、屋根船、猪牙舟、押送船《おしおくりぶね》、御用船、百姓舟、帆を降ろした漁師舟と無数の舟が往来し、両岸に泊まっていた。

(なんという舟の数か)

行く手に伊那谷でも知られた日本橋の円弧を描くような橋影が現われ、これまた多くの人馬が往来する光景が眺められた。

露崎は江戸でも一番の盛り場をどこに行こうとしているのか。

藤之助は橋を渡るならば、今少し間合いを詰めねばと考えたとき、露崎は橋へは曲がらずそのまま日本橋川の左岸を突き進んだ。

今度は魚の臭いが辺りに漂った。

これが名立たる日本橋の魚河岸か、藤之助も気付いた。

地震の影響で魚河岸は商いを停止しているのか、あるいはすでに商いを終えたのか、閑散としていた。その閑散とした店の軒下に地震で焼け出された人々が仮小屋を建てて寝泊りする様子が見られた。

日本橋川の川幅が六十間と膨らみ、日本橋川と結ぶ小さな堀留《ほりどめ》の流れに架かる橋を渡り、下駄屋や傘屋が続く町を抜けたとき、露崎が河岸道から船着場に降りた。

どうやらそこは日本橋川にかかる渡し舟の乗り場らしい。今しも渡し舟が多くの乗客を乗せて竿を立てようとしていた。

露崎がひょいとした身のこなしで渡し舟に乗った。

鎧《よろい》ノ渡《わた》しだ。

「月に二度植木を渡す渡し舟」

と古川柳に詠まれた鎧ノ渡しの南側にある茅場町《かやばちよう》薬師の縁日は八日と十二日、この日は境内で植木市が開かれ、植木を買った人が多く渡し舟に乗ったという。

(どうしたものか)

一瞬、藤之助は迷った。だが、船着場に急ぎ下ると、

「乗せてくれ」

と声をかけ、露崎が乗り込んだのとは一番離れた艫《とも》近くに飛び乗った。

「お侍、座ってくんな」

船頭の命に藤之助が腰を下ろし、船頭が竿を使って舟が船着場を離れた。

その瞬間、舳先から視線が投げられたが、藤之助はそのことを気にする余裕はなかった。

大勢の船客を積み込んだ渡し舟が対岸へと舳先を向けた。

藤之助は半刻以上も引き回されて額にうっすらと汗をかいていた。懐から手拭を出すと一文字笠の縁を上げ、光る汗を拭った。

そのとき、藤之助は視線を感じたが、もはやどうすることも叶《かな》わなかった。ただ勤番侍の体で水上から江戸の家並みを眺め上げた。

東に向かうほど家並みが地震に崩落し、炎に焼かれて無残な姿を晒《さら》しているのが見受けられた。

風具合で死臭が漂ってきた。

「なんとか生き延びられましたよ」

と藤之助のそばから老婆が連れに声を掛け、合掌すると、

「ナンマイダナンマイダ」

と呟いた。

「婆さん、おれのほうに向かって手を合わせるねえ。まるでおれが死んだ仏様のようじゃあねえか」

大工か、現場に向う職人が婆さんに言った。

「生きているからそんな無駄口も利けるんだよ、神仏に感謝しな」

婆さんが言い返した。

「違いねえ、十日前までこの流れには無数の仏が浮かんでいたからねえ」

「わたしゃ、あの世に行く前に地獄を見たよ」

「あっちに行って迷わなくていいや」

「馬鹿を抜かすんじゃないよ。この世の地獄を見たんだ、あっちは極楽往生間違いなしだよ」

「互いにそうありたいものだぜ」

船客が言い合う中、渡し舟が向こう岸に到着した。

もはや先ほどの賑わいは見られなかった。それでも倒壊したお店には槌音が響き、再建の様子が見られた。

露崎は船着場からゆっくりと河岸に上がった。

その界隈は南茅場町と呼ばれる一帯だ。さらにその奥には江戸町奉行所の与力同心が集い住む八丁堀《はっちょうぼり》が広がっていたが、藤之助は知る由《よし》もない。

露崎四郎九郎は再び東を目指して、河岸を下った。

藤之助はふと気付いた。

露崎が藤之助の尾行に気付いているのではないかということをだ。

日本橋川《にほんばし》が大川と交わる近くまできたとき、露崎は右岸から左岸へ橋を渡って戻った。となれば渡し舟になんのために乗ったのか。

日本橋川の河口、霊岸島《れいがんじま》新堀の左岸には御船手番所《おふなてばんしょ》があったが、露崎は今歩いてきた岸の対岸を再び鎧ノ渡しの方角へと戻り始めた。

人の往来も少なくなっていた。

藤之助はそのことを気にしながらも、今度は反対に露崎に誘われるように尾行を続けるしか途《みち》はなかった。

露崎は三丁も戻った霊岸島新堀の左岸、その名も北新堀町の辻で裏手に回りこんだ。

普段ならば、舟運に関わる店や塩問屋、酒問屋など下り物を扱う店が雲集する町の裏手には一膳飯屋や煮売り酒場が集まり、船頭、馬方、駕籠かき、屋敷奉公の中間《ちゅうげん》たちが憂《う》さを晴らす光景が見られたものだが、地震で裏店はすべてが崩壊し、焼き尽くされていた。

だが、生き残った連中は死者の供養も済まぬうちに小屋掛けの店を出し、再建に関わる職人衆や船頭を相手に再び商いを始めていた。

広大に広がる跡地にそんな小屋掛けの酒屋、一膳飯屋が結構商いをしていた。

露崎四郎九郎はそんな一軒にすいっと入り、縁台に腰を下ろすとなにかを注文したようだった。

刻限はあちらこちらと引っ張り回され、すでに八つ（午後二時）を過ぎていた。

藤之助も通りを挟んで斜め前にあった葦掛《よしが》けの一膳飯屋に入ると、鼻を垂らした小僧が、

「ご新規、勤番のお侍ご到来！」

と景気付けに奥に向って叫んだ。

「なになさいますか」

「なんでも菜はよい。早く出来るもので食したい」

「あいー、がんもどきの煮物に大根の味噌汁、丼飯一丁！」

と奥に向って注文し、小僧が手を差し出した。

「お代を先に願います。定食一丁、八十文にございます」

伊那谷では法外な値だが地震の後の江戸のこと、すべての諸物価が高騰していた。

藤之助は巾着から一朱を出して釣を貰った。

膳が運ばれてくる前に露崎四郎九郎をと見ると茶碗酒をぐいっと飲み干し、腰の矢立を出して、なにかを認《したた》め始めた。

その合間に大徳利の酒を茶碗に注ぎ、酒を呑む。

悠然とした露崎の様子だ。

藤之助は、露崎が地震の様子を見物に来たのではと思い直していた。

「お待ちどおさま」

小僧が折敷膳《おしきぜん》に丼飯とがんもどきの煮付け、それに何度も温め直した様子の大根の味噌汁を運んできた。

「馳走になる」

藤之助は丼を手にして、再び露崎の様子を確かめた。相変わらず鷹揚《おうよう》に構えた露崎は茶碗酒を飲み、なんぞ酒肴を摘みながらその合間に手紙のようなものを認め続けていた。

藤之助は遅い昼餉《ひるげ》を食し終えた。

だが、露崎の様子は全く変わる様子はない。

飯を食い終えた藤之助に出がらしの茶が運ばれてきて、膳が下げられた。それから

渋茶で四半刻ほど粘ってみたが小僧が、

「お客様、お後のお客様がおられます」

と待つ客などないにもかかわらず追立てをした。

「造作をかけた」

仕方なく立ち上がった藤之助は相変わらず酒を飲み続ける露崎の姿を視界に止めた。すでに手紙は書き終えたか、新たな酒を注文した様子があった。

藤之助はいったん焼け跡をぐるりと周り、露崎が酒を飲む煮売り酒屋が望める焼け跡の一角から見張ることにした。

その辺りはまだ後片付けが済んでおらず塵芥《ちりあくた》が燃えた異臭が残っていた。

陰暦十月下旬の日が御城の方角、西に傾き、辺りは夕闇に包まれた。すると御城のかたわらに大きく富士が影になって見えた。

寒さが被災地に下りてきた。

露崎は酒を止める様子はなかった。

どれほど腹に酒を納めたか、露崎が勘定をする様子で女に金を支払い、外に出た。

刻限は六つ半（午後七時）の頃合か。

二刻半（五時間）近くも地震と火事に見舞われた大川端で露崎は酒を飲み続けたこ

とになる。なにか目的があってのことか、藤之助の視線の先で露崎の体がよろめいていた。

ふいに立ち止まった露崎は後片付けが終わっていない火事場に向い、長々と小便をした。

ふーうっ
と満足の息を吐いた露崎は焼け跡を北へと向った。するとそこには大名家の屋敷塀が見えてきた。

老中を務める下総関宿藩《しもうさせきやど》五万八千石久世大和守広周《くぜやまとのかみひろちか》の中屋敷の塀だ。

塀は一見何事もなかったように建っていたが、塀の向こうからは風具合で焼け焦げた臭いが漂ってきた。

露崎は塀にぶつかると大川の方角へと曲がった。

夜の帳《とばり》が下りた大名小路には人影は見えなかった。

露崎はよろよろと北新堀町と久世家の屋敷の間の暗がりを歩いていく。

大川から冷たい川風が吹き付けてきた。

焼け跡の道はこの先、御船手番所の裏手にぶつかる。

だが、江戸の地理が不案内の藤之助にはただ暗がりを歩かされているに過ぎなかった。

それでも露崎に食らいついていこうと決心していた。

再び冷たい川風を顔に感じたとき、藤之助は四方を囲まれていることを悟った。

どうやら露崎は手紙を書いて、仲間を呼び出したようだ。あるいは座光寺左京を呼んだか。

藤之助を待つかのように露崎は歩みが止まっていた。

仕方なく藤之助は歩み寄った。
五、六間まで藤之助は接近した。
「そのほう、どこかで見たと思うていたが甲斐屋佑八の手代に化けて、番頭の供をしてきた者だな」

「さて、なんのことにございますか」

藤之助は答えていた。

文乃の実家の甲斐屋佑八に迷惑が掛かってはならないと思ったからだ。

「考えれば甲斐屋の娘が座光寺家に奉公に上がっておる。そのことを考えればすぐに察しのつくことであったわ」

もはや露崎はよろめいてもいず、語調もしっかりとしていた。

「そなた、おれを尾行したつもりでおれに誘い出されたのよ」

露崎四郎九郎が笑った。

「露崎様、そなたは座光寺家に養子に入られた左京様とは幼少の砌《みぎり》から遊び仲間とのこと。ただ今、左京様がどちらにおられるか、ご存じでおられましょうな」

「なんのことだ」

今度は露崎がとぼけた。

「おぬし、伊那谷から江戸に出て参った山猿か」

「さていかがにございましょう」

「五月蠅《さばえ》のようにちと目障りな」

「始末なさいますか」

「そなたの望みなれば始末して大川に投げ込まんでもない」

露崎の手が上がった。

藤之助は夜風を裂く弦の音を耳にした。

その瞬間には藤之助の長身は暗がりの地べたに飛び、ごろごろと転がっていた。

藤之助の立っていた場所に四方から矢が飛来し、交錯すると闇の焼け跡へと飛び去っていった。

「明かりを」

　露崎が命じた。

　強盗提灯の明かりが二条、地面を照らし付けた。だが、どこにも藤之助の姿は見えなかった。

「山猿め、どこへ行きおったか」

露崎の声に闇の周囲から襲撃者たちが姿を見せた。

槍を手にした一団、およそ十数人だ。

「柴村氏《しばむら》、ご苦労にござった」

露崎が労《ねぎら》ったのは頭分へだ。

明らかに屋敷奉公の武家であることを示して、一団は羽織袴に身を包んでいた。

「皆の者、この近くに潜んでおるぞ、油断するでない」

柴村氏と呼びかけられた頭分が一同に注意を促した。

強盗提灯の明かりが周囲の焼け跡を這《は》い回った。

一同はその明かりの先を注視していた。

本宮藤之助が焼け焦げた跡地の闇の一角から敢然と飛び出すと迷いもなく柴村と呼ばれた頭分に襲いかかった。

「あっ！」

と驚きの声を発して刀の柄に手を伸ばしたとき、藤之助の藤源次助真が暗闇に光り、柴村の肩口を深々と斬り下ろしていた。

げえぇっ！

絶叫に一同の視線がそこに集まったとき、藤之助はすでに数間先の暗がりに飛んで強盗提灯を掲げる刺客の胴を抜いていた。

明かりが地面に落ちて燃え上がり、消えた。

その瞬間には藤之助は再び場所を変え、三人目を斬撃していた。

藤之助が信濃一傳流に創意を加えた、

「天竜暴れ水」

が闇を得て、さらに凄みを増していた。

藤之助が動く度に一人ふたりと斬り倒され、数瞬の内に襲撃者の数は半数に減じていた。

露崎四郎九郎が相州康正の柄に手をかけ、一瞬思案した。

だが、

「引け、この場は引け！」

と落ち着いた声音を響かせて、ようやく襲撃者たちが姿を消した。

その場に藤之助が倒した刺客たちの死骸が残されていた。

藤之助は助真に血振りをくれると鞘《さや》に納め、最初に倒した柴村某《なにがし》に歩み寄り、なにか身分を示すものはないかとその場に膝を突いた。

第四章　北辰の剣

一

江戸に木枯らしが吹き付け、安政の大地震で被災した大勢の人々を苦しめていた。飢餓の上に寒さが加わったのだ。

木枯らしがぱたりと止まったこの日、本宮藤之助《ほんぐうとうのすけ》は座光寺家の台所裏の庭で薪《まき》を割っていた。格別誰に命じられたというわけではないが退屈していたのだ。

日が穏やかに差していたが光の中に冷気があった。

藤之助の斧が動かされるたびに大きな丸太が二つに割れ、四つに裂け、さらに竈《かまど》にくべ易い大きさになった。

その斧の動きに一分の狂いもなければ無駄もなかった。流れるような間合いと律動で行われた。

さらに小鉈《こなた》を使い、小割りを作った。

座光寺の山吹領に育った男にとって小鉈や山刀を使い、薪を割るのは歩いたり、泳いだりするのと同じ動作だった。だれもが生きていくために自然に覚えていった。

年老いた小者の安吉《やすきち》がその様子を見て、目やにのこびりついた目を見開いて驚き、嘆息した。

「おまえさまは侍にしておくのが惜しいな」

「侍でなければなにがいい」

「この時節だ、薪炭屋の手代か、鳶《とび》の親方の手先になればよい稼ぎになろうわえ」

「安吉、知り合いはおらぬか」

藤之助が冗談で応じたとき、文乃が姿を見せ、畏《かしこ》まった表情で告げた。

「本宮様、ご家老の引田様がお呼びにございます」

「相分かった」

藤之助が最後の一鉈を振るうと見事に二つに割れた。

「文乃様、なんとも勿体《もったい》ない腕にございましょう。どこぞに奉公先はございませぬか」

と安吉が再び武家奉公のお女中に戻った文乃に真顔で言う。

「江戸で薪割りがお役に立ちましょうか」

文乃が首を傾げた。すると頬《ほお》にえくぼが出来た。

藤之助は懐から手拭を出して額にかいた汗を拭い、

「お待たせ申した」

と文乃に詫《わ》びた。

文乃に案内されて、藤之助は台所から廊下を抜け、奥への曲がり廊下を進んだ。その辺りに人の気配がないのを見定めた文乃がふいに、
くるり
と振り向き、

「ご家老が慌《あわ》てておられるわ、なにかよくない事態が起こったのよ」

と町娘の口調で囁きかけた。

文乃は過日の実家訪問以来、藤之助に親近の情を寄せてくれて、二人だけの時は町娘の口調や仕草に戻った。

「なんであろうか」

藤之助は自問しつつ、北新堀町裏の襲撃事件を思い起こした。

柴村某《なにがし》は懐に巾着《きんちゃく》の他に屋敷出入りの鑑札の如《ご》きものを持参していた。重い巾着

はそのままに鑑札だけを懐から抜いて、屋敷に戻った藤之助は引田に届けていた。

その鑑札から柴村某の身許が割れたか。

座光寺左京為清の実家品川家には露崎四郎九郎が戻った様子はないとのこと、これは座光寺家出入りの御用聞きに引田が命じて、調べさせた結果だった。

ともあれ、藤之助が露崎を尾行し、江戸じゅうを引き回された末に刺客に襲われた事件以来、
ぴたり
とすべての動きが停止していた。

文乃がまた前に向き直り、廊下を静々と進み出した。

江戸家老引田武兵衛は憔悴《しょうすい》し切った顔で紅葉の木に落ちる日差しを見ていた。枝に枯れ葉が数葉残っていた。

「ご家老様、本宮様にございます」

文乃の言葉に我に返った様子の引田が、

「文乃、熱い茶を淹《い》れてくれぬか」

と頼んだ。

畏まりましたと文乃が下がり、引田がこれへ寄れ、と自らの前を指した。

「なんぞ御用にございますか」

命じられた座敷の一角に藤之助が着座すると、引田が思わず吐息を吐いた。

「そなたが持参してきた鑑札じゃがのう、厄介《やっかい》なことになった。あれは千代田城に出入りする御門鑑札であったわ」

藤之助は視線を引田に向けた。

「御目付《おめつけ》多田他門《ただたもん》様支配下、御小人《おこびと》目付柴村庸五郎《ようごろう》と判明した」

「御小人目付にございますか」

藤之助には身分が高いのか低いのか、判断がつかなかった。

旗本を監督糾弾《きゅうだん》する役目の御目付は幕府の実務職高官五職の一だ。

礼式、規則の願書などを将軍家や老中に申し立てを行ったり、殿中の巡察をして諸役怠慢を注意したり、評定所裁判に同席するなど職域は広く、多岐に渡った。

これを十人の御目付でこなした。

御小人目付はその下役で御目見《おめみえ》以下の御家人を監察糾弾する役目を負い、町奉行所、牢屋敷見回り、養生所などの見回りも行った。いわば下級旗本やら町方役人を見張る役職で、奉行所などでは蛇蝎《だかつ》の如く嫌われた。

御小人目付は百人ほどもいて、十五俵一人扶持《ぶち》、幕府の役人でも最下級なだけにいつも金銭に困っていた。

「おそらく高家胆煎品川家は御小人目付柴村庸五郎となんらかの関わりがあり、そこで金子で雇ったものと思われる。柴村が上司の多田他門どのに左京為清《ためすが》様の一件を報告していたとしたら、万事休すじゃぞ。今のところどこからもなにも言ってこぬ、まずは不幸中の幸いであった」

「はい」

と藤之助は曖昧《あいまい》に答えた。

「おそらく御目付の動きがないところを見ると柴村庸五郎は単に品川家に金子で雇われ、動いたものと推測される」

「引田様、此度の左京為清様の失踪はご実家の品川家の助けがあってのことにございますか」

「今一つ分からぬ。だが、諸々《もろもろ》を考えるとき、少なくとも品川家の露崎ら家臣は左京様と連絡を取っていることは確かであろう」

「いかにも」

廊下に足音がして文乃が盆に茶と茶菓子を運んできた。

「文乃、甘い物があったか」

目敏《めざと》く見た引田が嬉しそうにいった。

「麹町の菓子舗加賀屋《かがや》歓楽《かんらく》が店を再開したそうにございます。家から大仏餅を届けてきました」

「そなたの家からの差し入れか」

甲斐屋佑八方から座光寺家に時折届け物があると推測された。それもこれも内外多事多難で武家が武具を求めるようになり、甲斐屋の商いが盛んになったせいだ。

「茶が熱いうちにお召し上がり下さい」

文乃が下がり、引田が茶碗に手を差し伸べ、

「そなたも相伴《しょうばん》せよ」

と許しを与えた。

藤之助は美しく餅とり粉がまぶされた大仏餅に手を出した。つるつるとした搗《つ》き上がりで、伊那谷で作られる餅とはまるで違った。一口食すると舌先に小豆と砂糖の甘みがとろりと溶けて絡まった。

「美味しゅうございますな」

二人はしばらく無言のままに大仏餅を食べ、茶を喫した。

「美味かった」

と満足そうに言葉を吐いた引田が指先についた餡子《あんこ》を嘗《な》め、顔を再び引き締めた。

「本宮藤之助、急に代替わりの御目見《おめみえ》の日取りの知らせが参った。来月朔日《さくじつ》城中にて家定様に座光寺為清様の拝謁が決まった」

「八日の余裕しかございませぬな。それまでに左京為清様が包丁正宗と一緒に屋敷にお戻りになられましょうか」

「さて……」

と呟き、何事か話しかけようとして引田は思い止まった。

「無益に時が過ぎればすべては終わる。だが、ここで動くべき材料もない」

引田は自らに言い聞かせるように独白し、

「どうしたものか」

とさらに呟いていた。そして沈思した末にようやく、

「一日二日、ここは我慢の為所《しどころ》かのう」

と結論を出した。


藤之助が再び薪を割ろうと裏庭に戻ると都野新也《つのしんや》が所在なさげに藤之助が割った薪の山に腰を下ろしていた。

「都野様」

「藤之助、忙しいか」

「無聊《ぶりよう》を持て余して薪を割っているほどです」

「ならば付き合え」

「どちらに参られます」

「そなたが喜びそうなところだ」

「用人に外出を断ってきます」

「御門外で待っておる」

藤之助は用人の茅ヶ崎平左《ちがさきへいざ》に他出することを申し出ると家老の引田の用事と誤解したか、

「本宮、なんとか左京様を連れ戻して参れ」

と主探しを督促《とくそく》した。

曖昧に頷いた藤之助は急いで屋敷を出た。すると御門から一丁ほど離れたところに都野が待ち受けていた。その肩に竹刀や防具を担いでいた。

「稽古にございますか」

藤之助は期待に胸が弾んだが黙っていた。

二人は神楽坂へと急ぎ下った。

牛込御門が見えるところで足を緩めた都野が、

「そなた、江戸の剣術がどれくらいなものか知りたくはないか」

と我慢しきれないという顔で聞いた。

藤之助は黙って座光寺領片桐道場の先輩を見た。

「おれは江戸に出て、千葉周作先生の玄武館《げんぶかん》道場の門弟になった。地震で稽古を休んでいたが再開されたそうだ」

「都野様は北辰一刀流千葉道場にお通いでしたか」

幕末の三剣人千葉周作成政《しげまさ》が創始した剣術が北辰一刀流であり、神田お玉ヶ池に道場はあった。

「千葉先生にご指導を受けておいでとは考えもしませんでした」

藤之助が洩らした言葉には羨《うらや》ましさが込められていた。

北辰一刀流玄武館道場は伊那谷でも知られていた。

「周作先生は近頃お体を悪くしてな、道場にはまず出られぬ」

「それは残念な」

「なにかあれば周作先生の跡を道三郎光胤《どうざぶろうこういん》様がお継ぎになると聞いておるがな、腕は次男の栄次郎《えいじろう》さんがまず抜群だ。ただ今は先生の代役で水戸藩の剣術指南をしておられる」

「これから道場に行かれるのですね」

「おれはな、藤之助、そなたがどれほどの腕前か、千葉道場で試してみたいのだ」

「稽古をつけて貰えましょうか」

「千葉道場は来るを拒まずだ」

藤之助は体内に沸々《ふつふつ》と沸き上がるものを感じて足を早めた。

千葉道場玄武館がある神田お玉ヶ池は里人が呼ぶ地名で、代地が集まる元誓願寺前《もとせいがんじまえ》とも呼ばれる界隈だ。池はとっくの昔になくなり、地名だけが残っていた。

剣術家千葉周作の名を高からしめたのは内憂外患の時代状況だ。異国の船が日本の海岸線に出没して、開国を迫っていた。そこで長年、表芸の武術を忘れていた連中が道場に通い出し、剣術の稽古に勤《いそ》しんでいた。

都野新也に連れられた本宮藤之助は千葉道場の堂々たる玄関先に立ち、道場から響いてくる竹刀の打ち合わされる音や防具と防具がぶつかる軋《きし》みや気合声に興奮を覚えた。

都野が来客を送って出てきた稽古着の男に、

「村木《むらき》師範、伊那谷から出てきた朋輩を連れてきました。試し稽古の端に加えて下され」

と願った。

三十五、六歳か、精悍《せいかん》な風貌をしてがっちりとした体付きをしていた。稽古の豊富さをでーんと据わった腰が示していた。

「都野の知行地から出てきたとなれば信濃一傳流が流儀か」

「いかにもさようにございます。師範、本宮藤之助は稽古好きにござればそれがしよりも筋がようございます」

村木と呼ばれた千葉道場の師範が藤之助の面構えを見ていたが、

「都野、稽古着に着替えさせたらそれがしのところに連れて参れ」

と命じた。

「はっ、畏まりました」

村木が道場へと戻り、都野と藤之助は多くの門弟たちが普段着から稽古着に着替える二十畳ほどの板の間に通った。そこには壁にも床にも門人たちの着物がびっしりと置かれてあった。

「村木埜《の》一兼連《いちかねつれ》様は千葉道場古参の門人でな、腕前は十指に入る方じゃぞ、藤之助」

「はい」

「村木様が新入りに名指しでそれがしの前に連れてこいなどとはまず申されぬ。藤之助、たっぷり稽古を付けてもらってこい」

「師範が稽古を付けてくれますので」

「そんな風に受け取れたがな。ちと待て」

と都野が言い残すと姿を消し、どこからか稽古着を持ってきた。

「藤之助、こいつに着替えろ」

藤之助は貸し与えられた汗臭い稽古着に袖を通し、袴《はかま》を穿《は》いた。かなり藤之助には小さかったが、屈伸運動を繰り返すと動きには支障なかった。

「行くぞ」

都野に連れられて玄武館に入った藤之助は一瞬足を止めた。広い道場で打ち込み稽古をする門弟の数は二百人を超えていた。なんとも壮観な光景だ。

「どうだ、座光寺の野天道場とは違おう」

都野の言葉が自慢げに耳に響いた。

「都野様、天竜河原が板の間、赤石岳が天井の片桐道場に比べるといささか狭うございますな」

千葉道場の名に負けてなるものかと虚勢を張ってみた。

「言うたな、藤之助」

都野が広々とした見所近くに立つ村木埜一の下へ藤之助を連れて行き、

「師範、連れて参りましたぞ」

と声をかけた。

村木がつんつるてんの稽古着から野放図に伸びた手足を確かめるように見て、

「本宮藤之助と申すか。運がよいのう」

と言った。

藤之助はなにが運がいいのか分からないまま、はあっ、と村木を見返した。すると村木が見所を振り返った。

「周作先生が本日はお出ましである」

その言葉に都野が慌てて見所を振り返り見て、その場に座した。

藤之助も真似《まね》た。

幕末の剣聖千葉周作成政は綿入れに包まれるようにして座していた。顔には艶なく無精髭が生えていた。付き添いの門弟に介護された一代の剣客は痛々しく見えた。

安政二年（一八五五）十月、周作は六十二歳に達し、晩年を迎えようとしていた。

この二月後の十二月十日、卒然とこの世を去ることになる。

藤之助は最晩年の剣客に邂逅《かいこう》したことになる。

「大先生、伊那谷の信濃一傳流の門人が参っております」

周作が平伏する藤之助を見た。

「面を見せてくれぬか」

周作の声は長年の稽古の折に発する気合声に潰れていた。

藤之助は顔を上げた。

「伊那衆の面構えじゃのう」

眼光鋭くじいっと見抜かれた藤之助は背筋に冷や汗が流れる気持ちだった。

千葉周作成政、名は観、号は屠竜《とりゅう》といった。生まれは寛政《かんせい》六年（一七九四）、出は陸前栗原《りくぜんくりはら》郡花山《はなやま》村荒谷というところだ。

幼名於菟松《おとまつ》が後の千葉周作である。

父から北辰夢想流を学び、江戸に出て、旗本喜多村石見守正秀《きたむらいわみのかみまさひで》に仕え、小野派一刀流の浅利又七郎《あさりまたしちろう》に入門した。

浅利の姪《めい》のせつ女に娶《めあわ》され、浅利家の養子になった。だが、養父の又七郎と剣風が異なり、意見が対立して、浅利の家を出ると関八州を回国して武者修行に打ち込んだ。

ようよう江戸に戻って日本橋品川町に自分の道場北辰一刀流を興した。

北辰の名を冠したのは千葉家が先祖の千葉常胤《つねたね》以来、吉田唯一神道による北辰（北極星）の信仰をしてきたからだ。

ゆえに北辰一刀流の奥義は星王剣《せいおうけん》と名付けられた。

星王とは北極星のことであり、この星は乾坤《けんこん》を貫く大原理、寂然不動、石火、鐘、露の位の三位が備わっているとされた。

石火は金石に火をふくんだごとく、あたれば業《ごう》を生ずる。鐘は敵の力だけ響きに応じ、露は草木の末にとどまるごとく心気力満ちて、触れれば落ちる美妙無相の早業が自然に備わっているとされた。

千葉周作は北辰の原理を自らの創始した剣の奥義に例えたのだ。

名声を凡《すべ》て得た剣客は今終焉《しゅうえん》の時を迎えようとしていた。

その周作の顔に生気が漲《みなぎ》り、命じた。

二

「村木埜一、立ち会ってみよ」

「はっ」

千葉周作の言葉に見所近くに緊張が走った。

流祖は、

「稽古を付けよ」

とは命じなかった。

立ち会えと言ったのだ。それは技量の上下付け難し、ゆえに立ち会って決着をつけよと命じていた。

「藤之助、大丈夫か」

本宮藤之助の力を江戸で試してみたいと考えていた都野新也もいきなり千葉周作玄武館の師範、十指に入る村木埜一との立会いの命に驚きの色を隠せなかった。

「都野様、千葉先生直々のお言葉、教えを喜んでお受けします」

平然と答える藤之助に、

「おまえは千葉道場の立会いを知らぬ。真剣勝負と同じだぞ、木刀ならば死ぬ、袋竹刀でも腕の一本くらいへし折られる」

「ご案じあるな」

村木が、

「都野、なにをごちゃごちゃ申しておる。大先生も待っておられる」

と言いかけると周作を見た。

「村木、木刀とせよ」

「はっ」

村木が畏まり、都野の顔面が蒼白になった。

「都野、その者に木刀を」

村木が愛用の木刀を門弟の一人から受け取ると命じた。事ここに至り、都野も覚悟せざるをえない。藤之助を壁に掛けられた木刀の前に連れて行くと、

「師範のいきなり飛び込んだ後、数回打ち込まれた後の、引き際の小手技を警戒せよ。木刀に被せた右手の甲を砕かれるぞ。さらに次の手が肩口に入る」

「承知しました」

藤之助は数ある木刀から長さ三尺七寸余のものを選んだ。一、二度素振りをして道場を振り向くと門弟が一斉に稽古を中断し、両の壁際に下がったところだ。

千葉周作は村木埜一と本宮藤之助の立会いを門弟に見学させようとしていた。二百余人の門弟の中から藤之助のつんつるてんの借り着から出た手足を見て失笑が起こっ

た。

周作の後継を目される千葉道三郎光胤が、
しっ
と失笑を鎮め、

「それがしが審判を務める、勝負は一本である。いかなる命にも従ってもらう。よいな、ご両者」

と命じた。

村木と藤之助が同時に頷き、道場の中央へと進んだ。

千葉周作は伊那谷から江戸へ出てきたばかりという若武者に寸毫《すんごう》も臆した態度が見られぬことに関心を持っていた。

千葉周作の剣名を知らぬ者か、玄武館の荒稽古を甘くみたか。だが、若武者にはそのような驕《おご》りはどこにも見えなかった。平静を湛《たた》えた相貌《そうぼう》に立会いの喜びが垣間見えた。そのことだけを素直に喜ぶ様子が見えた。

(身の程知らずか、稀代《きたい》の武芸者か、すぐに分かろう)

と周作は考えた。

村木埜一が東方に正座し、本宮藤之助は西方に対面して着座した。互いに会釈を交わし、期せずして立ち上がった。
両者ともに急ぐ様子もなく、
「寂然不動」
の戦機を醸し出した。
間合いは五間。
千葉道三郎が両者を等分に眺め、
「始め！」
の合図を下した。
村木がゆったりと間合いを詰めた。
藤之助も左に木刀を提げたまま前進した。
両者の間が三間に縮まった。
村木は定寸の木刀を正眼に構えた。
藤之助は信濃一傳流の教えどおりに上段へと差し上げた。
道場に静かなどよめきが起こり、すぐに静まった。
玄武館の師範相手に立ち会う若者が上段に構えをとった。
(伊那の山猿め、礼儀も心得ぬか)

と蔑《さげす》んだ門弟たちもいた。

藤之助らの師、片桐朝和神無斎は、

「構えは天竜の流れの如く悠々たれ、赤石岳の高嶺の如く不動にして大きく聳えよ」

と教えた。

信濃一傳流を学ぶ者は野天の道場に素足で立ち、川の流れと山の高みに向かって木刀を構え、

「流れを呑め、山を圧せよ」

と教えられた。

暴れ天竜と雪を輝かせた重畳《ちょうじょう》たる山並みに向かい、木刀を毎日何百本も何千本も振るい続けて、足腰を鍛え、気宇を培《つちか》う。

それが信濃一傳流の基本であり、初歩だった。

今、藤之助が高々と上段にとったのは村木埜一の腕前を軽んじてのことではない。

また、藤之助の視線は村木一人《いちにん》の存在を超えて、諏訪から遠州灘に注ぐ天竜川の如《ごと》く、一万尺の雪の山並みと対峙《たいじ》していたのだ。

うーむ
と見所の千葉周作が唸った。

（構えが大きい）

と周作は感嘆した。

村木埜一も対決する若者が並々ならぬ技量の持ち主と敏感に悟っていた。だが、江戸に名を知られた玄武館の師範である。

北辰の剣は王者の剣であった。その風格を崩すことなく対戦しようという気構えを持し続けようとした。

不動の二人の間に電撃が走った。

阿吽《あうん》の呼吸で静から動へと移った。

三間が一気に縮まり、村木は正眼の木刀を大きく構えた藤之助の小手に鋭く落とした。

藤之助は大らかに構えた上段の木刀を懸河の勢いで村木の肩口へと走らせた。

その瞬間、村木埜一は木刀の迅速の差を悟った。

咄嗟《とっさ》に小手斬りを止め、雪崩《なだ》れ落ちる上段から攻撃を弾いて防ごうとした。

かーん！

と甲高い音が玄武館に響き、二本の木刀は互いに弾かれて、両者は相手の横手を駆け抜け、振り向いた。

場所を変えて対峙し直した村木埜一の両手が痺《しび》れていた。

だが、その気配を必死で隠し、なんとか二撃目に形勢挽回を計ろうとした。

藤之助は信濃一傳流の教えに背いた。

「戦いに入れば攻撃の手を休ませるな、息の根を絶つまで攻撃を続けよ」

これが信濃一傳流の戦国剣法だ。

だが、一撃打ち合ったとき、すでに太刀風の違いを藤之助は実感していた。

千葉道三郎は迷っていた。

村木埜一の手の痺れは腕にまで上がっていた。二合目を許せば村木の敗北を、北辰一刀流の致命的な負けを目に留めることになる。

だが、王者の剣がかくもあっさりと破れてよいものか。迷いに答えは出なかった。

(どうしたものか)

見所の周作がなにか口を開かんとした。

その瞬間、立ち会う二人が同時に飛び下がった。

村木埜一が着座し、遅れて藤之助が木刀を退くと正座した。

「先生、それがしの適《かな》う相手ではございませぬ」

村木埜一が潔く敗北を認める言葉を口にし、虚空に両手を差し出した。その腕がぶるぶると震えて、止まることがなかった。

藤之助は、

「教え有難う御座いました」

と千葉周作が興した北辰一刀流の奥の深さに頭《こうべ》を垂れていた。

審判を務めた千葉道三郎が、

「信濃一傳流、恐るべし」

と慨嘆した。周作が、

「道三郎、村木、そなたら、未だ井の中の蛙じゃのう。伊那には古《いにしえ》より伊那衆がおられ、戦国の頃より腕と肝っ玉を競い合われる風土よ。ただ今の片桐神無斎どのが座光寺一族にひっそりと稽古をつけておられると耳にしたが、その気概と技量、江戸の道場稽古の比ではなかったな。よいものを見せてもろうた」

周作は高弟二人に支えられ、奥へと下がった。

長い静寂の後、どよめきが玄武館に起こった。

そのどよめきを藤之助は興奮よりも困惑の体で受け止めていた。

神田から牛込御門外の屋敷への戻り道、都野新也が興奮を隠し切れず、のべつ幕なし、捲《ま》くし立てていた。

立会いの後、都野も藤之助も休みなしの千葉道場の打ち込み稽古に没頭した。藤之助には次々に、

「お願い申す」

「お相手を願おう」

と競い合って対戦を願いでられ、藤之助は夢中で相手をした。

稽古を終えたとき、江戸の町に夕暮れが訪れていた。

「藤之助、そなた、千葉道場の師範を一撃で負かしたのだ、なにか言わんか」

「勝負は決しておりませぬ」

「いや、村木さんの腕を見れば一目瞭然だぞ。信濃一傳流の勝利であった」

神楽坂に二人が差し掛かり、都野がふいに藤之助の袖を引っ張った。

「思えばそなたの江戸入りの祝いもしてなかったな、ちと付き合え」

神楽坂の通りから裏路地へと藤之助を引いていった。さらに闇が深くなった裏路地に赤い提灯が点《とも》っていた。

煮売り酒屋の明かりだった。

都野たちは時に屋敷近くの飲み屋に来ることがあるらしい。

「親父、しばらくであった。酒をくれ、肴は田楽でよい」

と慣れた調子で注文し、古樽を逆さにした腰掛に座った。卓は手作りのようで傾《かし》いでいた。だが、それは地震のせいではなく元々《もともと》傾いていたようだ。

「藤之助、そなたが腕を上げたと聞いていたが、千葉道場を驚かすほどとは思わなかったぞ」

「師範はわれらの流儀を知らず、戸惑われたのでございます」

「違うな」

都野が即座に言い切った。

「千葉道場には諸国の腕自慢の武芸者が腕試しに参る。その中には聞いたこともない流儀もある。だがな、玄武館では初めての剣法も見知った流儀も同じように扱われ、一蹴してこられた。村木さんの腕の震えを見たか、それほど藤之助、そなたの打ち込みが激しかったということだぞ」

「都野様、もうその話はようございます」

「そなたがそう言うのならもう口にすまい」

鼻白んだ様子の都野が応じたところに酒が運ばれてきた。

「さあ、呑め」

都野が藤之助と自らの盃を満たし、

「よう江戸に出て参ったな」

と改めて歓迎の辞を述べた。

「都野様、世話になります。また本日はよきところにご案内頂きました」

「そなた、玄武館に通うか」

「入門を許して頂けましょうか」

「そなたなら文句はないわ」

「ご家老にお断り申します」

「おれも口添え致そう」

二人は酒を呑み合った。都野はせかせかと二杯目を注ぎ、

「ちと分からぬことがある」

と藤之助の顔を見た。

「地震の報にそなたら五人を江戸へと遣わされたのは片桐様だな」

「はい」

「だが、江戸に残されたのはそなた一人だ。田村新吉などほうほうの体で江戸に到着した。だが、その足でつれなくも座光寺領に戻された、なぜだ」

藤之助には答えようがなかった。

「ご家老は江戸行きに際し、なんぞ命じられたか」

「道中休むな、止まるな、江戸に急げと命じられました」

「そなただけがその命を守り、戦陣走りを貫きとおした。田村らは途中休んだゆえに伊那谷に戻される沙汰を受けたかと思うたのだがな、おかしい」

「なにがおかしいのでございますか」

「なにとは言えぬ。だが、此度の処置、左京為清様の不在と関わりがあるように思える。藤之助、そなた、なんぞ特命を受けて動いておるな」

藤之助は黙っていた。それしか方策はなかった。

「左京様が座光寺家の家風に合わぬことは最初から分かっておった。おれなどこの三年のうちに一度たりともお声を掛けて貰ったことはない。いや、おれだけではないぞ。左京様はご実家の家来やお仲間とは入魂《じっこん》の付き合いをなさる癖に座光寺家の者とは一切口を利かれぬ」

江戸に出てきて何度も聞いた言葉だった。

都野が空になった盃に酒を満たした。すると親父が縁の欠けた皿に串を刺した味噌田楽を載せ、運んできた。

「親父、酒を二、三本くれ。それと茶碗を持て。これではまどろっこしいわ」

都野が命じ、親父が、あいよと答えると奥へ戻った。

山椒《さんしょう》を利かせた田楽の匂いが藤之助の鼻腔を擽《くすぐ》った。

「食べてようございますか」

「田楽は酒の菜だぞ」

と言いながらも都野は藤之助に食べることを許した。

道場での稽古に藤之助の腹は減っていた。

山椒と味噌を利かせた豆腐田楽がなんとも美味しかった。

「藤之助、正直に答えよ。左京様は生きておいでか」

藤之助は頷いた。

座光寺左京為清の生死は家中全員が気にかけていることなのだ。秘密など守り通せるものではなかった。

「生きておられるか」

都野の言葉にはがっかりした様子があった。

「左京様は座光寺家の家長ではない、一族の長でもない。江戸屋敷の者ですらそう思うておる。此度の地震の折にも吉原に遊びに行かれていたのは周知のことだ、馴染みの女郎がおられることもな。地震の際に亡くなったのであればなんとか次の手も考えられよう。それが生きておられるとは」

と慨嘆した都野は盃の酒を呑み、さらに注いだ。

「となるとどこにおられるのだ。実家に戻っておられるのか」

藤之助は漠然と首を振った。

「申せぬのか、藤之助」

「申し訳ございませぬ。ご家老引田様の厳命にございますれば詳しい話は申し上げられませぬ」

「数日後に迫ったご対面をどうする気だ」

「さて」

「ご家老方は座光寺家を潰す気か」

「いえ、潰されたくないゆえに必死で動いておられるのでございましょう」

「われらにはそれが見えぬ」

と苛立ちの様子を都野は見せた。

新しい酒と茶碗が運ばれてきた。

「呑め、藤之助」

「田楽のほうが美味しゅうございます」

「付き合えぬというか。よい、一人で呑む」

都野がこれほど酒好きとは知らなかった、江戸藩邸勤番で酒の味を覚えたか。

茶碗に熱燗《あつかん》の酒をなみなみと注いだ都野が、

「すべてが分からぬことだらけだ」

と言うと呑み干した。

「左京様と同じ屋根の下で暮されてきた都野様がお分かりになれないと言うのです。伊那谷から出てきたばかりで左京様と対面すらしたこともないそれがしに左京様の行方を追えと申されてもどうしてよいか分かりませぬ」

藤之助は思わず愚痴めいた言葉を口にしていた。

都野も頷き、

「そういえば左京様と奇妙なところで会ったことがある」

「奇妙なところとはどこにございますか」

「そなた、大川の対岸、深川というところを承知か」

「橋を渡ったことがございませぬ」

「その昔、江戸の海を埋め立てたところを深川と申してな、隠れた岡場所などがある。それがしが深川南端にある門前町の岡場所に遊びに参ったとき、左京様が何人かの連れと一緒に川魚が売り物の料理茶屋から出てこられて、船着場のほうに去って行かれたのだ」

「声は掛けられましたか」

「こちらは隠れ遊びだぞ、声など掛けられるものか。さすがに左京様は高家肝煎のご三男、遊びなれておられる様子であったわ」

都野は茶碗に手を伸ばした。

三

酒に酔った都野新也に肩を貸し、神楽坂へと本宮藤之助は出てきた。すでに夜半に近い刻限だ。

武家屋敷ではどこも眠り込んでいた。

都野は酒を呑み出すと途中で止まらない性格で、

「なあに屋敷なんぞはどこからでも入れるわ、おれは門番までやらされているのだぞ」

「もう一杯だ、おつもりだ」

などと結局呑み崩れるまで呑み続けた。さらに支払いの段になると、

「藤之助、そなた、まだ伊那からの路銀を残していよう。払っておけ」

と呑み代まで払わされた。

「都野様、体をしっかりとそれがしの肩に乗せ掛けてくだされ。それとも背負いますか」

その上、藤之助は都野の竹刀や防具まで片手で持たされているのだ。

「武士が他人の背に負われてたまるものか。ほれ、歩けと言えばこのとおりしっかり歩けるぞ」

と言いながら呂律《ろれつ》も回らず足にも力が入らなかった。

二人はよろよろと御箪笥町を山伏町へと上がった。

御家人屋敷が並ぶ界隈に薄い雲間を通して月明かりがおぼろに差し込んでいた。風がないだけ寒さは感じなかった。

それだけが藤之助の救いだった。

「都野様、そろそろ屋敷にございます。表門、裏門、どちらから入りますか」

「なにっ、屋敷が近いと。よし、一人で歩く」

都野は藤之助の肩を押しのけると、

「ほれ、このとおり歩こうと思えば歩けるのだ」

と両手を広げて歩いて見せた。当人は真っ直ぐに歩いているつもりのようだが、左に大きくよろけ曲がり、御家人屋敷の塀にぶつかった。

「あいたたっ、痛いぞ。額が割れた」

「夜半にございますればお静かに」

藤之助はそう言いかけながら、座光寺家の気配を見た。

屋敷を暗雲が覆っていた。なにかが起ころうとしていた。だが、酒に酔った都野の喚《わめ》き声に行動を中断し、様子を窺《うかが》う気配が見えた。

屋敷にだれかが忍び込もうとしているのだ。

「都野様、ご用心下され、屋敷に怪しげな影が」

藤之助は都野に囁きかけた。

「なにっ」

都野がよろめく体の胸を張り、酔眼朦朧《すいがんもうろう》と座光寺屋敷を見た。だが、腰は落ちてふらふらとしていた。

「藤之助、そなたの見間違いじゃぞ、怪しげなる者などおらぬわ」

都野の喚き声に座光寺家を囲む影が沈黙していたが狙いを変えた。まず夜半に屋敷に戻ってきた二人を始末する気だ。

「都野様、ご用心を」

よろめく都野を座光寺家とは通りを挟んで対面する旗本無役の大久保《おおくぼ》家の塀の下に座らせた。都野の防具をかたわらに置いた。

同時に座光寺家の塀上から二つ、三つ影が飛んできた。

藤之助は無言の裡《うち》に影の真ん中に滑り込んでいた。さらに四番目の影が塀を離れ、虚空に身を置いた。

その手に抜き身が見えた。

忍びの心得がある集団のようで身軽だった。

藤之助は咄嗟に懐に隠した小鉈を抜くと虚空に投げ打っていた。

屋敷町の地表は闇に沈み、そこから投げ打たれた小鉈の飛来を避けようとしたが避け切れず、額に当てて、四番目の影は、

どどーん

と地面に叩きつけられた。

すでに地表にあった三つの影が剣を抜いた。

藤之助はそれらの者が黒装束ということに気付かされた。

「何者か」

藤之助の押し殺した声に無言の答が返ってきただけだ。

「致し方なし」

藤源次助真《とうげんじすけざね》を抜き放ち、峰に返していた。

江戸でいくつかの修羅場を潜った藤之助には気持ちの余裕があった。それに千葉道場で自らの剣が通じた自信がそうさせたのかもしれなかった。

同時に三つの影が連携巧みに藤之助に斬りかかった。

藤之助が相手の意表を衝くように左の刺客の足元に転がり、助真を足元に振るっていた。思わぬ奇襲に太股を叩かれた刺客が横に転がった。

その瞬間には藤之助が闇の地面から虚空高く飛び上がり、二人目の肩口を、さらに横手に飛んで三人目の胴を、
びしりびしり
と叩き伏せていた。

襲撃の様子を見守る人物がいた。

舌打ちが響き、続いて野鳥の鳴き声の警告を発すると藤之助に峰打ちに叩かれて倒

れた三人が小鉈に額を破られた仲間の体を引き摺り、神楽坂の方向へと姿を没した。
藤之助は逃げる一団には手を下さなかった。
「藤之助、如何《いかが》いたした」
都野が間の抜けた声を上げ、同時に座光寺家の通用口が、
ぎいっ
と開いた。
藤之助はそれが家老引田武兵衛であることを認めた。引田は抜き身を提げていた。いつもの重役とは異なる険しさを五体から漂わせていた。
「ありがたきかな、門が開いたぞ」
大声を上げる都野に、
「静かにせぬか、夜分である」
と厳しい声が叱咤《しった》し、
うーむ
と都野が訝《いぶか》しくも黙り込んだ。
藤之助は路上に落ちた小鉈を拾い、刃先についた血を手拭で拭いた。

「おろか者が」

と藤之助から夜分遅く戻った理由を聞き質《ただ》した引田が都野を面罵した。

「はっ、申し訳なきことにございました」

藤之助が謝ったが当の都野は居眠りしていた。

「新也め、江戸勤番に慣れたか、酒なんぞを飲み食らいおって」

と引田が吐き捨てた。が、当人は上体を揺らしながら眠り込んで起きる気配はない。

「藤之助、こやつを部屋に放り込んで参れ」

「はっ」

と畏まった藤之助は都野を立たせようとしたが体がぐにゃぐにゃして正気はなかった。

「御免」

引田とも都野ともつかずに言いかけると藤之助は、都野の背後に回り、腰を両手で抱えると、
ひょい
と抱え上げ、引田の御用部屋から引き下がった。

引田が唖然《あぜん》とその様子を見た。

藤之助が引田武兵衛の御用部屋に戻ってきたとき、文乃がお茶を淹れていた。茶碗が二つあるところを見ると藤之助の分も用意されているようだ。

「夜分、お騒がせ致しました」

「かようにも遅い帰宅の理由を詳しく申せ」

藤之助は都野に誘われ、千葉道場を訪ねたことを話した。

「その帰りに酒を飲み喰らったか。おろか者が」

「申し訳ございませぬ」

藤之助が詫びると文乃が声もなく笑った。

「そなたらが千葉道場に参ったとは知らなかったわ。で、どうであったな、玄武館は」

「さすがに名高き北辰一刀流玄武館、大勢の門弟衆が熱心に稽古をされておられました」

とだけ藤之助は答えた。

引田は藤之助が見学に行ったと考えたか、それ以上は問い質そうとはしなかった。

「ごゆっくり」

文乃が言うと御用部屋から下がっていった。

座光寺家ではさすがに侵入者に気付き、応戦の仕度をしていたようで、文乃ら女衆もそのときに備えていた。

「藤之助、今宵の侵入者に覚えありか」

「いえ、初めての輩かと」

「うーむ」

と頷く引田に、

「但《ただ》し指図なされる頭領は同じ人物にございましょう」

「座光寺左京為清様か」

「まずは」

「江戸の何処《どこ》かに潜んでおられるか」

「ご家老、なんのために左京様はお屋敷に忍びの如き者を入れようとなされたのでしょうか」

「それよ、最前から考えておるのだが分からぬ」

藤之助はしばし考えた後、

「ご家老、左京様はまさか安堵状《あんどじょう》をわがものになされんと屋敷に人を入れられたということはございますまいな」

「考えないではなかった、そこで改めて調べてもみた。そなたらが夜分遅くに帰ってきたゆえにあやつらまだ屋敷内に入り込んではいなかった」

「安堵状はございましたので」

「あった」

「左京様のお部屋を調べてみられましたか」

「そのことは考えないでもない。だがな、未だ座光寺の当代は左京為清様だ。お列《れつ》様も主の不在の折に座敷に手を入れることはならぬと申されておられる」

お列様とは亡くなった先代伊奈之助為巳《いなこれすけためみ》の正室だ。

「そのままに捨ておくのですか」

「お列様は左京様が死去なされたと判明するまでは、主の部屋に立ち入る非礼を家臣がしてはならぬと再三申されておられる」

「手を拱《こまね》いておればご対面の日が参ります」

「それよ」

と答えた引田が、

「本日、浅草山谷町の巽屋左右次《たつみやそうじ》から使いが参り、そなたに一度お越しをと言ってきておる。明日早々にも浅草を訪ねてみよ。なんぞ手がかりを得たやもしれぬ」

「畏まりました」

引田武兵衛が茶碗を取り上げて茶を喫し、

「そなた、千葉道場で名乗ったか」

「はい」

しばし沈思した引田は、

「本宮藤之助、北辰一刀流玄武館に入門したいか」

「はい」

「ならぬ」

と引田が拒んだ。

「当分、そなたは座光寺家の危難をとり除くことに専心せよ」

「畏まりました」

頷いた引田が、よし、休めと御用部屋から下がることを許した。

翌朝、五つ半（午前九時）の刻限、藤之助は山谷堀を渡り、浅草山谷町に一家を構える御用聞き巽屋の左右次を訪ねた。

牛込御門外の屋敷から浅草に来る道中見た光景は、藤之助が江戸に出てきて見た惨状とだいぶ異なっていた。

路上から焼死体の山がなくなり、大店の跡地が整備され、店が再建されている槌音が響いていた。町の辻には御救け小屋があり、炊き出しが行われている風景には変わりはなかったが、焼け跡に掘立て小屋が建てられ、そこで人々が暮し始めて、なんとなく人々の顔に余裕が感じられた。

江戸の名物は、

「火事伊勢屋稲荷小路に犬の糞」

と言われるくらいに火事慣れしていた。大地震と火事が重なり、江戸の半分を焼き尽くすなど滅多にあるものではないが、それでも江戸っ子たちは不死鳥のように蘇ろうとしていた。

巽屋の前は綺麗に掃き掃除の跡が見られた。

藤之助が開け放たれた腰高障子の敷居を跨《また》ぎ、土間に入ると兎之吉《うのきち》が、

「早速来なすったな」

と声を掛けてきた。

「兎之吉、しばらくであったな」

「なんぞ進展がございましたか」

「際立ったものはないな。親分はおられるか」

「へえっ。こっちもようやく落ち着きを取り戻したってやつで。珍しく親分は長火鉢の前で腰を落ち着け、お茶を飲んでおられますぜ」

兎之吉に案内されて神棚のある居間に通った。

「本宮様、お久しぶりにございますな」

「親分、江戸の町もようやく復興の兆しが感じられるな」

「それでさあ」

と答えた左右次が座れと座を指した。

兎之吉が心得て座布団を運んできた。

「相すまぬ」

藤之助が腰を下ろすと兎之吉もかたわらに座した。

「左京様の消息は知れましたかえ」

「それがのう、影はちらちらと感じられるのだが、ご当人の姿は見られぬ。どうやらご実家の品川家の家来衆と連携を保って動いておられるようだ」

藤之助はなんどか遭遇した左京らの影や刺客の一団、さらには昨夜、座光寺家に押し入ろうとした忍び集団がいたことを話した。

左右次が手で煙管《きせる》を弄《もてあそ》びながら、

「失礼ながら座光寺様は交代寄合衆の中でも禄高も低いや。わずか千四百十三石、大した宝があるとも思いませんがねえ」

と藤之助の顔色を窺うように言いかけた。

「全くだ。われら、伊那谷では年中腹を空かせた記憶があっても贅沢《ぜいたく》のぜの字もした覚えはない。白米が食せるのは年に一、二度、それが贅沢といえば贅沢の家柄でござる」

「だからこそ、高家肝煎品川家から養子に入られたご三男は愛想をつかされたわけだ」

と自ら得心した左右次が、

「吉原ではようやく仮宅を始めた妓楼《ぎろう》もございましてねえ。吉原が再建されるこれから仮宅が明けるまでの五百日、この界隈はさびしゅうございますぜ」

と言った。

「稲木楼も目処《めど》を立てられたか」

「当てにしていた穴蔵の八百何十両を瀬紫と座光寺左京為清様に持っていかれて苦労なさっておられたが、なんとか金の目当てもついたとか、浅草山ノ宿に仮宅がそろそろ完成しまさあ」

「それは重畳にござる」

「ところがこの界隈で奇妙な噂が飛んでおりましてな」

「なんでござろう」

「稲木楼のお職だった瀬紫が仮宅の女将におさまるという噂なんで」

「そのようなことが出来ようか」

「稲木楼の旦那も女将さんも、火事場泥棒にそんなことを許すもんじゃないとかんかんに怒っておいでだがねえ。仮宅は浅草、深川、本所と広い場所に散っていましてねえ、まさかとは思いますがそいつを探すのは容易なこっちゃあございませんや」

「親分、第一、女郎をどう集めるのです、仮宅は馴染みを呼んで商いになるんだ、客はどうするんで。それに吉原の仮宅はどこも吉原の名で見世開きが許されてましょう、妓楼の屋号はどうするんですえ」

と兎之吉が次々に疑問を呈し、

「そこだ」

と左右次も首を捻《ひね》った。

「親分、兎之吉、吉原で焼け出された妓楼すべてが仮宅で商いを始めるのですか」

藤之助が訊いた。

「それはさ、半籬以下の小見世では仮宅を建てる金のないところもございますから な、もしそんな見世の名で仮宅を出すとなるとちと厄介かもしれませんや。だが、今度の一件についちゃあ、吉原会所もだいぶ気を遣《つか》っておりましてねえ、そう簡単に稲木楼の遊女に見世を出させるとも思えねえがねえ」

「待てよ」

と藤之助は思った。

「なんぞご不審がございますかえ」

「座光寺家の朋輩が半年も前に左京様が深川門前町の料理茶屋から出てくるところを見かけたと申しましたが、まさかそのような場所に仮宅を置くということはございますまいな」

うーむ
という顔で左右次が藤之助の顔を正視した。

「ないとは申せませんや。料理茶屋の名はなんでございますな」

「あまり深く考えもせなんだ。また聞いたとしてもそれがし、深川がどこかも知らぬ」

「そのお方は屋敷におられますかえ」

「むろんおる」

「兎之吉」

と左右次が命じ、言葉と同時に兎之吉が腰を上げていた。

なんと都野新也は引田武兵衛の命で伊那谷の知行地に戻されていた。文乃の話では急な話という。

その引田武兵衛は他出していて会えなかった。

玄関先に待つ兎之吉にそのことを告げると、

「駄目で元々深川に足を延ばしてみますか」

と藤之助に言った。

四

本宮藤之助は深川に行くのに大川を舟で渡った。兎之吉が両国橋詰《りょうごくばし》めの船宿で猪牙舟を頼んだのだ。

地震からおよそ一月を迎えようとしていたが両岸の町並みは倒壊し、その後に襲った炎で焼き尽くされ、死の匂いは薄れたというものの瓦礫《がれき》がそのまま残っているところが多く見られた。

「まだまだだな」

と思わず呟いた藤之助に兎之吉が、

「江戸の町が地震前の姿を取り戻すには五年、いや、十年の歳月がかかりまさあ。といって家並みが戻るだけでねえ、猛炎に焼かれてこの川に飛び込んで亡くなった人の恨みは残ったままだ」

と言い返した。

その言葉は深川と呼ばれる対岸の町が近付いたとき、実感された。

元々隅田川の湿地に町が造られた界隈は地盤が弱いせいか、町家が多く集まっているせいか、一面焼け野原が広がり、まだ大半が手を付けられていない状態だった。

「これは……」

と言葉を失った藤之助に船頭が、

「地震直後とは雲泥でさあ、水の上にも岡にも死骸の山だ。深川に比べればあっちなんて大したことはねえや」

と江戸城の方角を振り返った。

「船頭さん、富岡八幡《とみおかはちまん》の船着場に着けてくんな」

「あいよ」

兎之吉の言葉に船頭が応じた。

「深川の南は永代寺《えいたいじ》と富岡八幡の門前町として開けた町でしてねえ、寺参りや八幡様詣での客を相手に料理茶屋、水茶屋、隠れ茶屋が商いをし、また悪所もございますんで」

兎之吉は深川が初めての藤之助に説明した。

「本宮様の朋輩は深川の門前町の料理茶屋から出てくる座光寺の殿様を見たと仰《おつしや》ったんでしたねえ。となるとまず永代寺、富岡八幡の前に広がる門前町の料理屋で吉原から逃れてきた妓楼が何軒、仮宅を始めたか、調べてみなければなりますまい」

「兎之吉、およその数は分からぬか」

「なにしろ吉原には総籬《そうまがき》から間口一間の局見世《つぼみせ》まで数え上げれば何百に上るか、だれも承知じゃあございませんや。だがね、此度の地震前の遊女の数ははっきりしている、三千七百三十一人の女郎がいて、うち局見世は百十九人と少ないや。大雑把《おおざつぱ》に地震で半数近くの女郎が死んだり、逃散したとしても二千人の女郎が両国、中洲、高《たか》輪《なわ》、深川、並木、花川戸に散った。この深川にも数十軒の妓楼が仮宅するという噂もございましてねえ」

と返事した兎之吉は、

「厄介なこともある」

「なんだな」

「普通仮宅は百日を限度にお許しがでるんで。ところが今度の地震は江戸じゅうが被害に遭い、吉原じゅうが潰れた。そこで吉原の町役揃《そろ》って町奉行所に仮宅千日と申し出たそうな、だが、お上から許されたのは五百日だ。およそ一年半、吉原が江戸じゅうに散ったと思えばいい。仮宅では七面倒な手続きも習わしもなしだ、茶屋もなければ花魁《おいらん》道中なんぞ糞喰らえ、普段お高くとまっている花魁を抱ければいいてんで客が押しかける。となると二千人の女郎では足りなくなる。吉原の花魁はお上が認めた公娼だが、これに飯盛のような私娼が必ず加わる」

兎之吉が厄介といったことをようやく藤之助はおぼろげに分かった。

鉄漿溝《おはぐろどぶ》と高塀に囲まれた吉原が江戸じゅうに散ったと思えばいい、もはやだれもその実態は把握できなくなるのだ。

猪牙は大川から深川を縦横に走る堀の一つに入っていった。すると藤之助らの鼻にまだ残る死臭が漂い臭ってきた。

堀の両岸は倒壊し、焼け爛《ただ》れたままの町並みが残っていた。

そんな間を猪牙は進み、石積みの船着場に接岸した。

さすがに富岡八幡の門前町界隈は被害が少ないように見受けられた。

「助かったぜ」

兎之吉が船頭に船賃を払い、二人は船着場に上がった。

「富岡八幡宮は船でお宮参りに来られるというので、気候のいい時分には年寄りや女子供もお参りに来ますんで。それでこんな立派な船着場がございますのさ」

兎之吉は深川が初めての藤之助に丁寧に説明してくれた。

「この界隈に魚料理、鰻《うなぎ》の蒲焼を食わせる料理屋が何十軒あるか、吉原の妓楼同様にだれも知りはしますまい。雨後の竹の子のように暖簾《のれん》を出したかと思うと潰れる店もございますからな」

兎之吉の足はそう言いながらもどこかを目指していた。

「まあ、郷に入っては郷に従え、深川門前町のことは海辺の親父さんに聞けとねえ。この界隈を縄張りにしている海辺の亀造《かめぞう》親分のところをまず訪ねてみましょうか。お元気なればいいのだが」

と地震のことを案じた。

海辺の亀造と呼ばれる御用聞きの家は永代寺門前にあって半壊していた。だが、その隣に仮家を建てて、その障子に、

「南町奉行所御用
海辺の亀造」

と墨書されて、門前町に睨《にら》みを利かしていた。

「親分、達者かえ」

仮家の戸口で兎之吉が叫ぶと、おおっ、という叫び声が響いた。二人が敷居を跨《また》ぐと、どてらを着た丸坊主の親分が上がり框《がまち》に長火鉢を置いてどっしりと座っていた。

「おや、巽屋の兎之吉さんかえ。巽屋も息災かえ」

「へえっ、お蔭様で一家地震にも火事にも生き延びました」

「おれのほうも同様だ。怪我人は出たが、なんとか生き延びただけが救いだな」

「なんにしても命あっての物種でさあ」

「深川までのしてきなすったがなんぞ事件か」

亀造が藤之助のことを気にしながら聞いた。

「親分、このお方は交代寄合衆の座光寺家のご家来だ。ちょいと曰《いわ》くがあって殿様を

探してなさるのだが、吉原から外に出た女郎が行方を知っているんじゃねえかという話があってねえ、こっちまで足を延ばした」

「ほう、あの夜から殿様が行方《ゆくかた》しれずか、そんな話はあっちこっちで聞いたぜ。今度ばかりはお上も杓子定規《しゃくしじょうぎ》には跡目相続を言われめえ、なんとしても生死を知りたいやな」

と勝手に得心した亀造が、

「これまでのところこの界隈で仮宅を出したのはおれの知る限り八軒だ。総籬の玉屋さんが料理茶屋の雑魚八を借りたのが最初でな、五百日の借り賃は八百両だというぜ」

「八百両か」

藤之助はその値に驚いた。

「しもた屋を借り受けても三、四百両の造作が要る。その点、料理茶屋ならさほどの造作費がかからねえ、玉屋の旦那は得をしたって評判だ」

とこっちは平然としたものだ。

「お侍、驚きなさったか。だがねえ、仮宅はまた普段の吉原と味が違うってんで通う好きものがいるのさ。吉原の焼けぶとりといってねえ、玉屋なんぞはこの五百日にまあ千両箱の二つ三つ稼ぎ出そうと考えてなさるのさ」

幕府の財政は破綻していると聞いていたが巷《ちまた》に動く小判は途方もないものだった。

藤之助はなんとなく瀬紫と座光寺左京為清が考えていることを探りあてたような気がした。

二人は仮宅の間に一稼ぎしようと考えているのではないか。

となれば、左京為清は座光寺家のことも品川家のことも考えてはいないということになる。

「玉屋のほかはどちらだねえ」

「兎之吉さん、うちの奴を案内に立てよう」

と亀造が奥に控える子分を呼んだ。

亀造の手先の周次《しゅうじ》は地震の際、倒れてきた梁に足を挟まれ、危うく焼死しようとしたところを亀造や仲間たちに助け出されたとか。今も左足には添え木がされて、松葉杖をついて門前町を案内してくれた。

「足の悪いのにすまねえな、周次兄《あに》い」

兎之吉が言うと、

「もうなんともねえ。だがよ、兎之さん、おりゃ、あのとき、これでおれも終わりだと思ったねえ。なにしろ大きな梁がおれの足に乗っかり、身動きがとれねえ。火の手はあちらこちらから上がっている。痛みで気を失い、熱さに気を取り戻して思わず叫んだときよ、親分方の耳に入ったんだ」

「えらい目に遭いなさったな」

怪我をした手先はあの夜のことを説明しながら、藤之助らをどこかへ案内していこうとしていた。

「助け出されておれの目に映った深川は地獄だったぜ、とてもこの世のものとは思えねえ。深川じゅうを嘗《な》めるように炎が襲い、血塗《ちまみ》れの、焼け焦げた人間がうろつき、あっちにもこっちにも死骸の山だ」

年の頃、三十五、六歳の周次はまだあの夜の衝撃から立ち直っていない様子で二人に話しかけた。

「兎之さん、見ねえ」

と周次が松葉杖の先で指したのは永代寺の境内を分かつ堀の水面だ。

「ここにはよ、炎に巻かれた人が熱さを避けて次々に飛び込み、薄くなった空気に気を失い、その上を炎が這い回ってよ、死骸の山だ。つい四、五日前に最後の一体が片付いたところだ」

周次の言葉に兎之吉と藤之助は堀に向かって合掌した。

その堀を回ったところは奇跡的に焼け残った料理茶屋雑魚八があった。

吉原の総籬玉屋が仮宅に選んだ見世だ。

塀は焼け落ちたのか真新しい黒塀に、白木の板が打ち付けられ、

「新吉原京町総籬玉屋仮宅」

とあり、以下、抱えの遊女の名が麗々しく書き連ねられていた。

玉屋仮宅では昼見世の最中のようで格子の向こうには茶をひいた年増の女郎が二人所在なげに煙草《たばこ》を吸っていた。

「おや、兎之吉さん、私に会いに来てくれたかえ」

と一人の年増が言い、吸付け煙草を差し出した。

面番所の御用聞きの手先だ。兎之吉は慣れた手付きで煙管《きせる》を受けて一服し、

「おまえさん方と情を交わすほど暢気《のんき》じゃねえや。五月《さつき》、おまえ、稲木楼のお職だった瀬紫の噂を聞かねえか」

「瀬紫さんがどうかしなさったか」

「知らないならいいさ。玉屋さんの抱えは吉原以来変わりあるまいな」

兎之吉の言葉に答えたのは格子脇の玄関から姿を見せた番頭の繁蔵《はんぞう》で、

「兎之吉さん、うちは仮宅だって定法に反したことはしませんよ」

と断ったものだ。

「番頭さん、玉屋さんをなにも疑ったわけではねえさ、御用となれば時に嫌な思いもさせなければならねえ。すまないね」

と謝った兎之吉が藤之助に、

「行こうか」

と目配せした。

周次の案内で玉屋を始め、八軒の仮宅と五軒の普請中の仮宅の現場を歩いた。だが、どこも一見して瀬紫と左京為清らの影が窺えるところはなかった。

海辺の亀造の家まで戻り、丸坊主の親分が、

「飯でも食っていかねえか」

と誘いかけるのを断った二人は船着場に戻った。

刻限はすでに五つ（午後八時）を回っていた。

一旦《いったん》浅草山谷町に戻ろうと猪牙を探したが辺りには舟の姿はなかった。

「仕方ねえ、歩きますかえ」

「そう致そうか」

普段にも増して暗い深川の町を二人は北へと進路をとった。

「海辺で夕餉《ゆうげ》を馳走になるんだったたな」

と兎之吉がぼやいた。

「どこに行かれたかのう、左京様は」

と藤之助が応じた。

「高家肝煎の三男だねえ、江戸をよく承知だぜ」

藤之助には初めての深川だ。どこをどう通っているのやら皆目推測もつかなかった。だが、兎之吉の足は倒壊し、消滅した町を熟知していた。迷うこともなく堀を渡り、寺の門前を抜けた。

暗闇に煌々《こうこう》と明かりを点す家は二人がその日訪ね歩いた仮宅の一つだろう。すでに夜見世が賑々しく始まっていた。

馴染みの遊女たちを目当てに客が集まれば仕出し屋などが繁盛する。仮宅を中心に小さな明かりの渦が浮かんで見えた。

「仮宅はねえ、客だけが楽しみじゃねえんで」

「妓楼の主どのもお喜びか」

「むろん焼けぶとりで一稼ぎしようという旦那方は毎晩金勘定が楽しみにございまし

ようよ。ところがねえ、女郎衆も仮宅の間は町住まいだ、一時《いっとき》鉄漿溝《おはぐろどぶ》に囲まれた籠の鳥の身分を忘れることができるのですよ」

「遊女も世間の空気を吸えるというわけか」

「そういうことでさあ」

二人はいくつめかの仮橋を渡り、寺の門前町のようなところに出た。

藤之助の足がふいに止まり、肩を並べる小柄な兎之吉の手を取った。

「どうしなさった」

兎之吉が顔を藤之助に向けた。

その問いには答えず藤之助は兎之吉の肩と腰を両手で抱くように、

ごろり

と地面に転がり、寺の塀際に身を潜めた。

次の瞬間、闇に火矢が飛んで、今まで二人が歩いていた近辺の地面に三本の火矢が突き立っていた。

闇に火矢の明かりが、

ぼおっ

と浮かんだ。

その時には藤之助は寺の山門の下の闇に兎之吉の手を引き、移動していた。

足音が乱れて、七、八人の男たちが姿を見せた。その格好は様々で屋敷奉公の者とは思えなかった。

「逃したか」

その男たちの背後から藤之助が聞き知った声が響いた。

羽織袴の露崎四郎九郎だ。

「兎之吉、ここにおれ」

兎之吉に命じた藤之助は闇を利して山門から離れる前に手早く羽織と草履《わらじ》を脱ぎ捨てた。

火矢の明かりを囲むように立つのは浪人剣客の群れだ。それを指揮しているのが露崎だった。

（無駄ではなかった）

闇の地面を這って移動する藤之助の脳裏に、そういう思いが浮かんだ。

吉原での噂、瀬紫が深川界隈で仮宅の営業を意図しているという風聞は確かだったのだ。

動きを止め、上体を起こした。

手に唾を吐き、藤源次助真の柄巻に掌を馴染《なじ》ませると闇から一気に走り出した。

わあっ

という声が上がった。

その瞬間、藤之助は助真を抜き放つと迎え撃とうとした浪人剣客の群れに飛び込み、八の字に斬り分けていた。

俊敏果敢な太刀捌《さば》きに二人が倒れた。

燃え尽きようとする火矢のかたわらを走り抜けた藤之助は一気に露崎四郎九郎に迫った。

さすがに露崎だ。

藤之助が姿を見せると知るや露崎は剣を抜き打ち、迎撃の構えを見せた。

草履を脱ぎ捨て、腰を落とした。だが、もはや羽織を脱ぐ暇はなかった。

藤之助は横手から突っ込んできた浪人剣客の胴を片手斬りに払うと露崎との間合いの中に飛び込んだ。

その時、藤之助の手の助真は体の右手へ流れていた。

露崎はその乱れた姿勢に狙いを定め、抜き放った剣を上段に構え直すと藤之助を真っ向唐竹割りに斬り下げようとした。

その瞬間、火矢が燃え尽き、辺りは闇に化した。
だが、露崎の脳裏には藤之助の残像と間合いが確かにあった。
腰を据えた露崎は腹に力を溜《た》めて一気に振るった。
羽織の袖が腕に絡んだ。
それでも一息に闇を割った。
すいっ
と刃が流れ、虚空を斬った。
そのかたわらの闇で軽やかな気配だけをみせて動いた者がいた。
藤之助は横手に流れた助真を引き付け、腰を沈めつつ、露崎の息遣いを感じながらも、
くるり
と身を回転させていた。
そのかたわらを死の予感を秘めた露崎の刃が流れ落ちた。
がつん
と露崎が振るった刃の切っ先が地面に食い込み、火花を散らした。
手が痺れた。

殺気を感じた露崎も体の向きを変えた。

その直後、首筋に熱い刃風が舞い、
ぱあっ
と刎《は》ね斬った。

うっ
という押し殺した声を発した露崎が棒立ちになり、次の瞬間には横倒しに崩れていった。

闇の寺町に退却の合図か、笛の音が響いた。

藤之助は手に助真を翳《かざ》したまま地面に飛び伏せ、ごろごろと転がった。

闇を切り裂く弓弦《ゆづる》の音が一頻《ひとしき》り響き、呻き声が混じった。そして、人を引き摺るような物音とともに殺気が消えた。

静寂がしばらく続いた。

「本宮様」

密やかに兎之吉の声がして、

「おうっ」

という藤之助の声が闘争の場から遠く離れた場所から応じた。

兎之吉が懐に持参していた火打ち石を使い、種木に火を点した。すると戦いの場が薄ぼんやりと浮かび上がった。

なんと藤之助が倒した三人の浪人剣客には止めを刺すかのように矢が突き立っていた。そして、露崎の死体はその場から消えていた。

「なんてこった」

兎之吉が言い、

「これで左京様と瀬紫は深川界隈におることが分かった」

「へえっ、尻尾を出しやがったぜ」

兎之吉の手の種木の火が消え、再び闇に戻った。

第五章　主殺し

一

三つの亡骸《なきがら》が海辺の亀造親分一家の土間に敷かれた筵《むしろ》の上に横たえられた。

本宮藤之助《ほんぐうとうのすけ》が斬り倒した三人の浪人剣客たちだった。

深川寺町心行寺《しんぎょうじ》前の戦いの場から兎之吉《うのきち》一人が亀造の家に走り戻り、助けを求めた。

現場には藤之助だけが残った。

四半刻後、周次たちが船で心行寺の裏手の運河まで戻ってきて、すでに冷たくなった遺体を門前町まで運んでいったのだ。

兎之吉は三つの遺体を周次らと藤之助に託し、自らは浅草山谷町まで事情を話に戻ることになった。

海辺の亀造がまだ矢の突き刺さった遺骸を調べ、

「見事な腕前にございますな」

と藤之助に言った。

「いかにもさよう。あの暗がりで気配だけ頼りに矢を射かけるなど並みの腕前ではござらぬ」

「とぼけたお方だ。いえねえ、わっしがいうのはおまえ様の剣術《やっとう》の腕前ですよ」

「それがしか、信濃一傳流と申す田舎剣法だ」

「これほど踏み込んで間合い内から剣を振るわれる度胸は当今の武家にはおりやせんぜ」

と呟いた亀造が丸坊主の頭をぴたぴたと叩《たた》き、

「座光寺の殿様はただ行方知れずになったんじゃございませんな」

と藤之助を見た。

藤之助は困惑の体で黙っていた。

「まあ、ようございます。巽屋が来れば分かることだ」

「相すまぬ。お家の浮沈に関わることでな」

「本宮様、大立ち回りでさぞ腹も空かれたことでしょう。残り飯だが膳を用意させまさあ、お上がりなさい」

と亀造は子分の一人に膳の仕度を命じ、藤之助は仮屋に招じ上げられた。

奥は二十畳ほどの板の間一部屋でまるで小さな道場のようだった。それでも奥には神棚と仏壇があって、長火鉢が置かれていた。

「半壊した家には女が住んでおりましてねえ、野郎どもは当座こっちで雑魚寝だ」

と男所帯を説明した亀造が長火鉢に掛かっていた鉄瓶に銅の瓶子《へいじ》を入れ、器用に酒の燗《かん》をすると藤之助に茶碗を差し出し、

「地震の後のことだ、酒器も満足にねえが我慢してくんな」

と詫《わ》びた。

「馳走になる」

亀造と藤之助は差し向かいで茶碗酒を口にした。

すきっ腹の五臓六腑に熱燗の酒が染み渡った。

「本宮様はあの夜、屋敷におられましたかえ」

「いや、それがし、伊那谷におったのだ」

「知行地におられたんで」

「早馬が伊那谷を駆け抜け、その者たちが江戸の惨状を伝えていった。それがしは家

老に呼ばれて江戸に急行するように命じられたのだ」

藤之助は江戸に出てきた経緯《いきさつ》を語った。

「なんと伊那谷から二昼夜で江戸に出てこられましたかえ。おまえさんは天狗《てんぐ》様のような方だねえ」

「それがしが到着した江戸はまだ死骸の山で余燼《よじん》のにおいが漂っておった」

「で、ございましょうな」

亀造が答えたとき、膳が女衆の手で運ばれてきた。

「浅蜊《あさり》の味噌汁にきんぴら牛蒡《ごぼう》に焼き豆腐だ。飯だけはたんとある、お代わりは遠慮しねえこった」

と藤之助の前に膳が置かれた。

「馳走になる」

藤之助は茶碗の残り酒を飲み干し、箸《はし》を取った。

「親分、酒のつまみにするめを持ってきた」

と女中が言い、

「こいつはいいや」

と亀造がするめを受け取ると長火鉢の五徳に載せた。

するめの香ばしい香りに誘われたように土間にいた子分たちが姿を見せた。

「親分、三人の持ち物を調べたが、巾着《きんちゃく》に小判を三枚ずつ持ってやがる。手付けかねえ、後は小銭ばかりで身許が知れるようなものは持ってねえや」

「まず小判は殺しの代金だな。三両が三途の川の渡し賃になったぜ」

ひと働きした子分たちがそれぞれ茶碗を手に酒を注ぎ合った。

そのかたわらで藤之助は黙々と丼飯を掻きこんだ。

周次が美味しそうに食べる藤之助に、

「よほど腹を空かせておられたのですねえ」

と健啖《けんたん》ぶりに感心したように言った。

「周次どの、それがし、江戸に出て参って江戸の有難さが分かった。江戸とはかようにも贅沢《ぜいたく》なところかと思うてな。食べるもの、出されるものすべてが美味しい」

「地震の後で江戸にはろくな食い物はございませんぜ」

「伊那谷に比べれば毎日が祭りか祝言のようだ」

「そんなものですかねえ。わっしら、深川に育った人間は、田舎はなんぼかいいと思いますがねえ。とくによ、地震の後なんぞはさ、戻る在所があるやつが羨《うらや》ましいがな」

「それは在所を知らぬ者の言い分だ。米もなにもよきものは江戸に出すでな、田舎にはなにも残らぬ」

「そんなもので」

海辺の亀造一家の子分たちは若い侍が同じ屋根の下にいることが珍しいのか、藤之助に伊那谷座光寺領の暮らしなどをあれこれ聞いた。

藤之助も雪を被った赤石山脈の峰々が高く聳《そび》え、その下を天竜川が滔々《とうとう》と流れる様子などを語り聞かせた。

「本宮様よ、在所の暮らしが厳しいとは江戸に出てきた人間が一様に口にする言葉だが、やっぱり地獄極楽のどちらに近いところかと問われればさ、おれは在所が極楽に近い、いや、そこが極楽浄土だと本宮様の話を聞いて答えたくなったねえ」

と亀造が答えたとき、表に人の気配がして、

「海辺の父つぁん、迷惑かけてすまねえな」

巽屋《たつみや》の左右次《そうじ》の声が響いた。

「おう、早速《さっそく》来なさったか」

亀造や子分と一緒に藤之助も玄関に出た。すると兎之吉の案内で左右次親分と二人の子分が出張《でば》ってきていた。

「巽屋、おまえさんのところは厄介なことに巻き込まれているようだ。この侍の死骸

を片付けるだけでは済みそうにないようだな」

と亀造が言った。

「あの夜、途方もねえことを考えた男と女がいたと思いねえ。事情は本宮様から聞いたかえ」

「お武家様は口が固いや、なにも仰《おつしや》らねえよ」

「旗本家の相続に絡んだことだからな、口も固くなろうというものだ。それにおれっちも真相を摑《つか》んでいるわけではねえ。はっきりしていることは座光寺左京様と申される旗本家の当代と瀬紫という遊女があの夜、吉原から抜け出た。とまあ、ここまでなら、此度《こたび》の地震騒ぎに同じようなことが起こってやがる。会所の若い衆が必死で足抜けした女郎を追っているからね。だが、おかしなことに座光寺の殿様は屋敷にも無事を知らせず、遊女と江戸界隈を逃げ回っておられる。そればかりか、吉原の仮宅の一軒の主が瀬紫だという噂が流れた。それでさ、うちの兎之吉と本宮様が深川まで足を延ばして、こやつらに襲われたというわけだ」

左右次は同僚の親分に話を略して告げ、藤之助が斬り、仲間によって止めを刺された死骸を見た。

「巽屋の、ということは周次が案内した仮宅の中に瀬紫が隠れ潜んでいるということだぜ」

「どうやらそのようだな」

「深川の仮宅は夜っぴて商いをしているぜ」

と海辺の親分が告げた。

「吉原には面番所もあれば会所もあって決まりがうるさいが仮宅ではそんなものは糞食らえだ。なにしろどこの妓楼も五百日でひと財産を稼ごうとしているからな」

「海辺の、こやつらの始末を頼んでいいか」

「早速《さっそく》探索に入りなさるか。こっちはその気だ、なんぞあれば遠慮なくうちに使いを立ててくんな。手伝うぜ」

「すまねえ」

親分同士で話が決着した。

その間に藤之助は玄関先から土間に下り、徹夜になる探索の仕度を終えた。

「邪魔したな」

と左右次が最後に声を掛け、藤之助は寝静まった永代寺門前町の通りに出た。

どこかで犬が遠吠えしていた。

左右次と藤之助が肩を並べて歩き、提灯を提げた兎之吉が道案内するように前をいく。二人の手先は親分と藤之助の後に従った。

「本宮様、夕刻、引田様の使いが見えましてねえ、一度、屋敷に戻るように言付《ことづ》けを残していかれましたぜ」

「急ぎであろうか」

「使いをお立てになるくらいだ。急ぎには間違いございますまい」

と答えた左右次の言葉に藤之助はどうしたものか迷った。

深川も急展開を見せようとしていた。それだけに心残りでもあった。

「急ぐと申しても半刻、一刻というわけでもございますまい。どうやら深川界隈に瀬紫が潜んでいるのは確からしい。本宮様と兎之吉が今日あたった仮宅をもう一度おさらいするくらいの余裕はございましょう」

「いかにもさよう」

「二人が回った仮宅はすでに暖簾《のれん》を上げた総籬の玉屋、角玉屋《かくたまや》、福富楼《ふくとみろう》、半籬の大華《たいか》楼《ろう》、睦月楼《むつきろう》、岩喜楼《いわきろう》、金盛楼《かなもりろう》、萩乃屋《はぎのや》の八軒に、ただ今普請中の総籬の竹村伊勢《たけむらいせき》喜などの五軒でしたな」

「いかにも」

「兎之吉に聞くと十三軒の楼ではどこも吉原以来の番頭か遣り手、あるいは女将《おかみ》さんにあったという」

「親分、一軒だって顔も知らねえ奉公人に話を聞いたところはねえぜ」

振り向いた兎之吉が言うと提灯の明かりが揺れた。

「睦月楼ではだれに会ったな」

「へえっ、女将のおきわですけど」

「どうだったえ」

「どうって格別なこともなかったが」

「西河岸に近い睦月楼はあの地震で病に臥《ふ》せっていた旦那敬太郎《けいたろう》を始め、女郎七人、禿《かむろ》二人、男衆五人が亡くなり、吉原の中でも被害が酷かったな」

「へえっ、それだけに生き残ったおきわの踏ん張りが凄いや。総籬の玉屋などに伍《ご》して深川に仮宅を早々に見世開きしたんだからねえ。火事場の糞力というが女はいざとなると腹が据わるね」

「兎之吉、睦月楼の近年の商いはどうだ」

「敬太郎旦那が中気で倒れて以降、どうしても見世が暗いや、女郎も年増が多い。その分、客足が減ったという噂だな」

　と答えた兎之吉が、

「親分、なんぞ見逃したかねえ」

と不安な声で問い返した。

「弱り目にたたり目、睦月楼のおきわは生き残った女郎と男衆でようも素早く仮宅を見世開きしたものだなと思っただけよ。確かに女はいざとなると下手な男より腹が据わるかもしれねえ。だが、考えてもみねえ。仮宅を開くには何百両もの金がいるんだぜ。瀬紫と座光寺の殿様に穴蔵の蓄えを持ち逃げされた稲木楼ではえらい苦労して金子を都合した。それもさ、稲木楼は旦那も女将さんも古手の番頭も健在だ、瀬紫は欠けたが女郎はまあまあ生き残ったから、出来る芸当だぜ」

「そう言われれば睦月楼のおきわは早業だな」

「なにが格別に怪しいというわけじゃねえや。そこが気になったのさ」

「親分、睦月楼にまず足を向けるかえ」

「すでに向かっているんじゃねえのか」

「いや、すまねえ。昼間回った順でつい玉屋を訪ねようとしていた」

と答えた兎之吉が、

「回れ右だ」

と今来た道を引き返すことを指示した。

藤之助は昼下がりに訪ねた睦月楼を思い出していた。

睦月楼は永代寺の門前から少しばかり東に離れ、三十三間堂の門前の深川入船町の汐見橋《しおみばし》際の古い川魚料理の二階家を仮宅にしたものだった。

女将のおきわは四十過ぎか、まだ色香が残っていたがそれより藤之助の記憶に残っているのは重い疲労と苛立ちの表情だった。

だが、親分左右次と兎之吉の問答を聞けばそれも納得できた。

睦月楼の主の敬太郎が病に寝込み、商いもうまく立ち行かなくなったところに此度の地震に見舞われたのだ。

その被害は吉原でも格段に大きいという。

それを女手一つで仮宅まで見世開きしたとなると疲れと苛立ちがあっても不思議ではなかった。

だが、左右次はそのことに訝《いぶか》しさを感じ取っていた。

「本宮様、座光寺様では差し迫った事態が生じたのでございましょうかな」

左右次の問いに藤之助は将軍家定との対面の日が三日後に迫っていることを思い出した。だが、この一件は巽屋の左右次に話してよいとは引田から許しを得ていなかった。

「おそらくは探索の進行具合を問い質すためにそれがしを屋敷に呼ばれたのだと思います」

藤之助は曖昧《あいまい》に答えた。

左右次はただ頷いた。

その時、九つ（午後十二時）の時鐘が深川界隈に伝わってきた。

「半籬の睦月楼の女郎の半分以上が死んだ。手駒だけで仮宅を行うのか、どこぞから飯盛女を見つけてきたか」

左右次は自問するように呟いた。

茫漠《ぼうばく》と広がる闇の中に明かりが浮かんだ。

睦月楼の明かりだ。

二階座敷からはまださんざめく宴の声が響いていた。

睦月楼は一方を堀に接して水面に明かりを映していた。

左右次らはゆっくりと睦月楼の仮宅の周囲を見回した上で汐見橋を渡って一旦《いったん》遠のいた。

橋下には客を待つのか猪牙《ちょき》舟が泊まっていた。

「本宮様、これが吉原だけの話ならばすぐにも乗り込んでおきわに話を聞き直すんですがねえ、座光寺家が絡み、もし瀬紫や殿様が関わっているとなれば、家臣殺しに親殺し、兄殺しの罪咎《つみとが》の上に稲木楼の八百余両の盗みまで繋《つな》がる話だ。ここは大きく網を張るほうが得策でございましょう」

と左右次が慎重に見張ると言った。

「もっとも睦月楼が瀬紫の目をつけた妓楼と決まったわけではございません。明日からもう一度玉屋から聞き込みをやり直してみます」

「お願い致そう」

「本宮様、ここはわっしらに任せて牛込山伏町の屋敷にお戻りになりませんか。その次第によっちゃあ、明日にもまた戻ってこられればいいことだ」

藤之助は頷いた。

兎之吉が、

「本宮様はまだ江戸の地理に慣れておられねえや。牛込御門まで舟で戻られるのがいい。わっしがあの猪牙を雇ってきましょうか」

「願おう」

藤之助の言葉に兎之吉が一人汐見橋のほうへ戻っていった。見ていると何事か押し問答していたが船頭が諦めたように兎之吉を乗せて、藤之助らが待つ河岸まで漕ぎ寄せてきた。

「船頭に無理を聞いてもらった。親分からも一言御用だと言ってくんねえな」

「船頭さん、すまねえ。おれは浅草山谷町の巽屋だ。すまねえが牛込御門下までこのお武家様を届けてくんな」

「山谷の親分じゃしようがねえ」

と言った船頭が、

「お客人、乗りなせえ」

と藤之助に言い、藤之助は兎之吉と替わって猪牙舟に乗り込んだ。

「お先に失礼致す」

「気を付けてお帰りなせえ」

左右次らに送られた猪牙は汐見橋の袂《たもと》を離れ、深川永代寺の境内に走る堀を伝い、大川へと向かった。

藤之助は水上から睦月楼の仮宅を眺めた。

障子に映る二つの影が一つに重なり、歓声が起こった。

仮宅の商いはいよいよ佳境に入ろうとしていた。

三味線の調べが安政の大地震に破壊された町に流れ、雲間を割った月光が陵《りょう》辱《じょく》された深川を淡く照らし出した。

「旦那、野暮用だねえ」

「粋な御用ではないな」

「人ってのは不思議なものだ。あれだけの地獄を見たというのに、もう仮宅だなんだと遊び呆けてやがる。もっともわしらはそんな旦那衆のお余りで生きているだがねえ」

「地道に生きていくのがなによりでござろう」

「旦那も地獄を見て、そんな考えになりなさったか」

「さあてな」

藤之助が呟いたとき、猪牙は大川に出た。

夜半の川には船影一つなかった。

船頭が舳先を上流へと向け、藤之助は締め付けられるような孤独に襲われた。

二

本宮藤之助が牛込山伏町の屋敷に戻り着いたのは八つ（午前二時）を大きく回った

刻限だった。

門番の知らせに引田武兵衛がすぐに引見した。どうやら引田は起きていた様子だ。

「探索はどうだ」

藤之助は深川の仮宅に瀬紫らの影があることを説明した。

「となると左京様の影を捕まえたと考えてよいのだな」

藤之助が頷き、

「巽屋の親分らが見張っております」

と答えると引田が立ち上がった。

「藤之助、供を致せ」

かような刻限にと藤之助は聞き返さなかった。

黙って頷いた。

引田の足は屋敷を出ると江戸の町には向かわず、江戸の外へと進んでいるように思えた。

藤之助が持つ提灯の明かりに屋敷町が、さらに寺町が次々に浮かんでは消えた。引田は黙々と進み、辻に差し掛かると、

「右へ折れよ」

とか、

「真っ直ぐ進め」

とだけ命じた。

道の両側に組屋敷のお長屋の長い外壁が現れた。

「この界隈は浄泉寺谷町と呼ばれるところだ。根来《ねごろ》百人衆の大縄地《おおなわち》である」

大縄地とは幕府下級の者が集合して住む長屋のことだ。

藤之助には道が緩やかに上り下りしていることだけが分かった。

水の流れる音がして土橋を渡り、急に冷え込むと同時に辺りが寂しくなった。

「尾張《おわり》中納言家の抱え屋敷から流れ出す水音よ」

と呟くように説明した引田が、

「そのほう、座光寺家の江戸の菩提《ぼだいじ》寺を承知か」

と訊いた。

「いえ、存じませぬ」

江戸に暮すのは初めての藤之助だ、知る由もない。

「その昔、越後《えちご》浪人中山安兵衛《なかやまやすべえ》どのが舅《しゅうと》の菅野六郎左衛門《すがのろくろうざえもん》の決闘を助けて仇討ちを成された高田馬場《たかだのばば》がある。ほれ、あの暗闇よ」

と引田が行く手を顎《あご》で指した。

高田馬場の広さは東西百八十間、南北二十六間余、その広さの闇が広がっていた。

「馬場の北側にある高田村南蔵院《なんぞういん》がわが座光寺家の菩提寺である」

初めて聞く寺名であった。

馬のにおいがかすかに漂う馬場を回り込んだ二人は北側へと折れた。道は下りになった、かなりの勾配の下り坂だ。

坂を下りきると川を渡った。長さ十間ほどの橋の欄干《らんかん》に墨で面影橋《おもかげばし》と記されてあるのが明かりに見えた。

「千代田の城を築城なされた太田《おおた》道灌《どうかん》様がこの橋を通りかかったおり、激しい雨に見舞われたそうな。道灌公は近くの百姓家に立ち寄り、蓑《みの》を貸してくれぬかと願われた」

突然昔話が始まった。今晩の引田は饒舌《じょうぜつ》だった。

「その家の娘に山吹の一枝を差し出されたというから春先の雨であったろう。だが、道灌公には蓑を貸せと頼んで山吹一枝を差し出された意味が分からない。不審のままに帰城して、教えられた。『後拾遺和歌集』の古歌に曰《いわ》く、七重八重花は咲けども山吹のみの一つだになきぞ哀しき、とな。蓑とみのをかけ、家には蓑一つございませぬという雅《みやび》な断りであったのだ。道灌公、わが知、村娘に劣るやと嘆かれたとか。それが今、渡った橋よ。ゆえにこの界隈を山吹の里と呼ぶ」

と引田武兵衛が説明して、足を止めた。

山門の前に出ていた。

「南蔵院である」

刻限は八つ半（午前三時）の頃合か、寺は森閑として人が起きている気配はなかった。だが、引田は山門の石段を上がり、本堂への石畳を進むように命じた。

言われるままに藤之助は夜空に黒々と聳える本堂へ向かった。

「左に折れよ」

と引田が命じ、自ら先に立った。

藤之助が慌てて引田の横に並び、明かりを足元に差し出した。

庭木の向こうに離れ屋が見えた。すると障子に明かりが点《とも》っているのが見えた。

「起きておられる」

と引田が呟いた。

だれかが待ち受けているのか。

引田は離れ屋に近付くと、

「引田武兵衛にございます」

と声をかけた。

数拍の間があって障子の向こうに影が立ち上がった。

障子が開かれた。

寝巻きの上に袖無しを着た影の主は、座光寺家の陣屋家老にして、信濃一傳流の剣術の師、片桐朝和神無斎その人であった。

「お師匠様」

藤之助は思わず叫んでいた。

六十二歳の神無斎は座光寺家の中興の臣と呼ばれていた。

二代前の忠之助為将《ただのすけためまさ》の代に寒い夏の後に伊那谷を大凶作が見舞った。そのために座光寺家では多額の借財を作ったことがあった。

若き日の神無斎は江戸と伊那谷を忙しく往復して、家中に殖産を奨励し、倹約を命じて財政を建て直した。その後、神無斎は中興の臣と呼ばれるようになっていた。

その神無斎が江戸に出てきていた。

「ご苦労であったな」

江戸家老の引田武兵衛にまず言葉を掛けた神無斎がふいに藤之助を見た。

「藤之助、面構えが変わったな」

と言うと、二人を離れ屋に招じ入れた。

神無斎は書き物をしていたのか、文机《ふづくえ》に巻紙が残されてあった。

二人の家老が対座し、藤之助は座敷の入り口に控えた。

「藤之助、これへ」

と神無斎が二人の間を指し示した。

「はっ」

と返答した藤之助は膝行《しっこう》で座を移した。

「左京様を捕まえたか」

藤之助は近況のみを伝えた。すでにすべては引田が神無斎に報告してあると思えたからだ。

「ほう、深川の仮宅を女郎がのう」

と答えた神無斎は、

「どうやら捜索も大団円が近いようだな」

と引田に言った。

「巽屋の親分もそう感じ取られておるようです」

二人の家老が頷き合い、神無斎が、

「藤之助、そなたに申し聞かせることがある」

「はい」

藤之助は突然伊那谷から出てきた師の姿に緊張を隠しきれないでいた。

「そなた、座光寺家に朱印状が伝わるのを存じておろうな」

「家康様が為重様に下し置かれた山吹、北駒場、上平、竜口四ヵ村を安堵する御朱印状にございますな」

小さく頷いた神無斎が、

「正しくは寛永八年三月四日、家光様が二代目勘左衛門為重《かんざえもんためしげ》様に与えられたものだ。この御朱印状には家康様の短刀、包丁正宗が付いておる」

と藤之助が聞かされた事実を訂正した。

「左京為清様は地震の夜に包丁正宗を持ち出されていたそうな。座光寺家にとって正宗は御朱印状と同じく大事なものだ。いや、御朱印状と包丁正宗が二つ揃《そろ》って、御目見を許され、代を継ぐことが出来る」

藤之助は淡々とした師の言葉を聞いていた。

「本宮藤之助、そなたに御朱印状を見せておく」

神無斎は文机に戻り、引き出しから紫の袱紗《ふくさ》を捧げ持ってきた。
藤之助は袱紗に葵の紋があることを見た。
神無斎が両手で奉じた後、袱紗を解《ほど》いて御朱印状を藤之助に差し出した。
「よろしいのでございますか」
「差し許す」
藤之助は師を真似て御朱印状を額近くまで奉じた後、二百二十四年を経た文を広げた。
「信濃国伊那郡山吹村四百七拾七石余
北駒場三百弐拾石壱斗余
上平村弐百五石七斗余
竜口村四百拾石四斗余
都合千四百十三石余之事令扶助之訖全何知行者也……」
とここまでは座光寺家の者なら御朱印状を見ぬまでも教えられていた。だが、その後は明らかに筆跡が異なった。
「但《ただし》安堵に際し、申し置く。
万万が一徳川家滅亡危機に瀕《ひん》しなば座光寺当主御《お》介錯《かいしゃく》申付命者也

寛永八年御朱印三月四日
座光寺勘左衛門為重殿」

と読めた。

「意するところ得心いったか」

藤之助は首を振った。

「座光寺家の祖、為真《ためざね》様と家康様の口約束がどうなされたか今になっては判然とせぬ。残るは家光様が為重様に下された御朱印状と口伝にて判断するしかない。慶長《けいちょう》二十年四月、大坂夏の陣に際して為真様は六十五歳で、為重様は二十九歳で出陣なされた。家康様との口約束はそのときになされたと思える。家光様が後に御朱印状で追認なされたのだからな」

と二百余年以上も前のことを神無斎は告げ、一息吐《つ》いた。

「藤之助、よう耳を凝《こ》らして聞け」

「はっ」

「われら座光寺の当主は代々の将軍家の介錯を許された一族である」

藤之助は極度の緊張に顔が引《ひ》き攣《つ》った。

「ゆえに代々当主は将軍家に御目見を許され、特命を引き継ぐ。この御朱印状が首斬《くびきり》安堵《あんど》と異名される理由だ」

「首斬安堵にございますか」

「包丁正宗は将軍家の切腹のために座光寺家が貸し置かれたものだ。また本宮藤之助、そなたの差し料藤源次助真《とうげんじすけざね》は将軍家の御介錯刀である」

「なんと」

泰山神社に伝わる助真はそのような意味合いを持っていたのか。

「家定様との対面は明後日四つ（午前十時）の刻限である」

「それまでに左京為清《ためすが》様を屋敷にお連れしろと申されますか。まさか、左京様はこのことを承知で屋敷に戻られぬのですか」

「左京様には未だ一切申し上げてない」

と神無斎が言った。

「ですが、此度の左京様の行動、なんぞ座光寺家の秘密を承知しておると考えたほうが得心いきます」

二人の家老が期せずして、
ふーうっ
と息を吐いた。

「藤之助、そなたもそう思うか」

神無斎が聞いた。

「左京様の実家は上様に近い高家肝煎《きもいり》の家柄にございます。もしや二百二十余年の歳月の中で座光寺家の秘密が城中に漏れていて、それを品川家が承知していたとしたらどうなります」

「品川家ご三男を座光寺家の養子として選んだは引田とそれがしだ。われらは腹を掻《か》き斬ったとてご先祖に申し開きの立たぬ間違いを犯したことになる。左京様の人柄、座光寺家の当主に非《あら》ず」

神無斎はきりきりと歯嚙《はが》みするほどの後悔を見せた。

「左京様の周りには品川家家臣の他に浪々の剣客などが集まり徒党を組んでおります。このようなことを考えますとき、左京様は座光寺家の秘密を承知して養子に入られ、いつの日か包丁正宗と首斬安堵状をなにごとかに利用なされようと企てこられたのではございませぬか。それが過日、座光寺の屋敷を襲おうとした一団の狙いではございませぬか」

「許せぬ」

片桐朝和神無斎が吐き捨てた。

「藤之助、大坂の夏の陣以来、徳川幕府は安泰の道を辿《たど》ってきた。だが、昨今の内憂外患を考えよ。幕藩体制は綻びを見せ、異国は開国を求め、朝廷は政事に参画せんと暗躍しておられる。もはや大名諸侯の忠誠は徳川幕府にあるとは言い難し、このような折、藤之助、われら座光寺家にいつ介錯の機が巡りこぬとも限らぬ。それを左京如きに任せられようか」

神無斎は主君を呼び捨てにした。

「此度の大地震はさらに幕府の弱体を露呈させた」

神無斎は沈黙し瞑想した。

そして、ゆっくりと両眼を見開いた。

「なんとしても左京から包丁正宗を奪還せねばならぬ」

「左京様をどうなされるおつもりで」

くわっ

と座光寺家の中興の臣が両眼を見開いた。

老いた双眸《そうぼう》からめらめらと赤い炎が燃え上がっているように思えた。

藤之助は老師の静かなる憤怒《ふんぬ》に煉獄《れんごく》の炎を重ねていた。

「斬れ、斬り捨てよ」

静かに厳命した。

「主殺《しゆごろ》しをせよと命じなされますか」

藤之助も平静に問い返した。

「われら、座光寺一族、為真様以来伊那谷座光寺領千四百十三石を安堵されたは家康様、家光様との約定があったればこそである。なにゆえ危機存亡の折に品川家に首斬安堵を譲らねばならぬのだ」

藤之助は、一つ大きく息を吐いた。

「神無斎様、左京様の命を絶つことはわれら座光寺家の断絶を意味致しませぬか」

「いかにもさよう」

「どうなされますので」

「その一件、伊奈之助為巳《これすけためみ》様のお方様、列様とお話し申した」

とだけ神無斎は告げた。

藤之助に与えられた左京暗殺はどうやら左京の養母、列の方も承知のことのようだった。

座光寺家十一代、伊奈之助為巳は十九歳で常陸久慈《ひたちくじ》郡の寄合花房数馬《はなふさかずま》の妹、糸《いと》を娶《めと》った。だが、糸女は祝言から一年後に病死し、さらに一年後の文政《ぶんせい》四年（一八二一）

に再婚した。

木曾福島《きそふくしま》の藩主山村甚兵衛《じんべえ》の養女で、列女であった。

列女は為巳が嘉永《かえい》元年（一八四八）に亡くなった後、座光寺家江戸屋敷の奥を仕切っていた。

藤之助は未だ列の方にも対面が叶《かな》ってない。

「藤之助、臆したか」

沈思する藤之助に老師が詰問した。

「いえ、左京様のタイ捨流の腕前を考えておりました」

陣屋家老の片桐朝和神無斎がここまで一族の秘密を披瀝《ひれき》した以上、命に従うのは当然の務めと藤之助は考えていた。

神無斎は物心ついたときからの師であり、上司であった。それに比べて座光寺左京為清はまだ見ぬ人であり、座光寺家の家臣二人を殺して、将軍家の切腹短刀を持ち逃げした人物だ。

どちらに与《くみ》して動くか、伊那衆なれば明白なことであった。

だが、本宮藤之助が師の神無斎の命を遂行した場合、藤之助は生涯、

「主殺し」

の名を負って生きることになるのだ。

いや、左京は座光寺家の頭領に選ばれたほどの腕前、藤之助が勝ちを得るという保証はどこにもなかった。

だが、それを承知で受けることが、

「伊那衆の覚悟」

であり、

「座光寺一族の武士《もののふ》」

であった。

「藤之助、そなたには信濃一傳流の奥義の凡《すべ》てを伝授した。そなたが左京を斃《たお》せぬときは座光寺一族の滅亡のときと知れ」

「一つだけお願いの儀がございます」

「なにか」

「左京為清様を誘《おび》き出すために御朱印状をお貸し下さい」

藤之助は左京から包丁正宗を取り戻すにはそれしか手はないと思っていた。

さすがに片桐神無斎からも即答はなかった。長い沈黙の後、

「致し方ないか」

という言葉とともに御朱印状が差し出された。

「必ず左京為清を仕留め、包丁正宗を取り戻せ」

「はっ、畏まりました」

藤之助は二人の家老の前に平伏した。

三

未明の薄闇の中、朝靄《あさもや》が水面に漂っていた。

およそ一月前、未曾有《みぞう》の地震とそれに続く大火事に見舞われた深川一帯も少しずつだが再生の道を辿《たど》り始めていた。

そんな予感を感じさせる朝が訪れようとしていた。

道具箱を肩に担いだ職人衆が河岸道を普請場に急ぐ姿が明け始めた微光に浮かんでいた。

本宮藤之助は汐見橋の袂に眠る睦月楼の仮宅の周りをゆっくりと歩いた。

巽屋の左右次はまだ睦月楼が瀬紫と座光寺左京為清が背後で糸引く見世とは決めきらないでいた。

藤之助は深川から牛込山伏町、さらに高田村の南蔵院へ、再び深川へ戻る間に睦月楼が二人の関わる楼と思えて仕方なかった。

江戸に到着以来、左京の影を追ってきた者の勘がそう思わせていた。それを確かめるために仮宅の周辺を回り、ようやく仮寝に付いた二階屋が醸し出す空気を感じ取ろうとしたのだ。

だが、確証は得られなかった。

(よかろう)

ならばどのような反応を示すか、池に石を投げ込んでみるだけだ。

座光寺家に残された刻限はもはやなかった。

明朝四つには将軍家定との御目見が待っているのだ。

藤之助は南蔵院で師の文机《ふづくえ》と筆硯を借り受けて書き上げた書状が懐にあることを確かめた。そこには、

「首斬安堵」

が一緒に入っていた。

座光寺一族に課せられた相続と使命は、懐の首斬安堵状と左京為清が持ち出したと思われる包丁正宗の二つがあって成るものだった。そのどちらが欠けても意味はない。

ならば首斬安堵を餌に座光寺左京為清を誘い出すだけだ。

藤之助はもはや迂遠《うえん》の策を取ることを捨てた。

睦月楼仮宅に設けられた格子には、

「吉原揚屋町睦月楼仮宅」

と麗々しく墨書された看板がかかり、抱え女郎の名が太夫初桜《はつざくら》以下、十三人が連ねられ、禿《かむろ》の名がその後に続いて賑々《にぎにぎ》しかった。

藤之助は寝静まった川魚料理屋だった仮宅の格子窓に手紙を挟んだ。

手紙の宛名は、座光寺左京為清と瀬紫の連名だ。

格子の奥の薄暗がりがかさりと動く気配があった。黒猫が仮宅の張り見世をゆっくりと歩いていた。

藤之助はその様子に目を止めると睦月楼仮宅を後にした。

汐見橋を渡り、睦月楼から半丁も離れたとき背後で人の気配がした。振り向くと朝靄に巽屋の親分の手先兎之吉が立っていた。

「戻ってこられましたかえ」

「もはや時間がないでな、睦月楼に石礫《いしつぶて》を投げ込んで参った」

「ほう、それは」

と答えた兎之吉が、

「見張り所に案内しますぜ」

と藤之助を裏路地に連れ込んだ。

汐の香りが漂う浜風が藤之助の鼻腔をくすぐった。

「この裏手に深川入船町の材木置き場がございましてねえ、その番小屋を海辺の親分の口添えで借り受けたんで。汐見橋を挟んで睦月楼の仮宅の表も裏口も丸見え、その上、舟も使えまさあ」

と言いながら兎之吉が案内した貯木場の番小屋からは汐見橋越しに睦月楼仮宅を眺めることが出来た。

「睦月楼の客が引き上げたのはいつのことだ」

「半数は七つの刻限でさあ、残りの半数は泊まっておりましてねえ、つい最前静かになったところでさあ」

仮宅はお上の目が届かないだけに夜っぴての遊びのようだ。

「どうやら睦月楼では博奕《ばくち》が行われている様子でしてねえ。親分は、壺振り方はどうも瀬紫ではねえかと推量しておられますのさ」

「瀬紫はあの睦月楼にいるということか」

「そうとも考えられる。客は武家方、坊主、お店の番頭風と様々だが、あの仮宅は船着場を持ってましてねえ、船で出入りしております。そのせいで客の見分けはつきませんや」

二人は見張り所の番小屋の前に出た。

引戸を兎之吉が開けた。

番小屋の中では三畳ほどの板の間とその倍はありそうな土間が広がり、板の間には小さな囲炉裏《いろり》が切り込まれてあった。板の間の壁の一角が風入れの格子窓でそこから睦月楼仮宅が見張られていたのだ。

「ご苦労にございましたな」

囲炉裏端《ばた》の左右次が藤之助を労《ねぎら》った。

もう一人無精髭の老人が左右次のかたわらにいた。若い頃はそれなりに整った顔立ちだったろう。だが、老いた顔には荒《すさ》んだ暮らしの翳《かげ》があった。ともあれ、どう見ても御用聞きの手先という風体ではなかった。

「痺れを切らして仕掛けられましたか」

左右次は藤之助の行動を承知していた。

「親分に断りもなしだが、もはや座光寺家には余裕がござらぬ。そこで左京様、瀬紫に宛てた手紙を差し込んで参った。あれがただの睦月楼の仮宅なれば無駄なことだがな」

「まあ、お上がりなさい」

と左右次が藤之助を囲炉裏端に招じ上げ、

「睦月楼の影の女将は瀬紫ですぜ」

と言い切った。

「判明したか」

藤之助が座った囲炉裏端から身を乗り出した。

「なんと瀬紫、稲木楼に入る前、禿の時代に睦月楼にいたんでさあ」

「ほう。吉原ではそのようなことがしばしばあるのか」

「吉原はどこもが商売敵だ、相手に塩を送る真似は滅多にございません」

と左右次が答えた。

茶を淹れようと兎之吉が囲炉裏の自在鉤《じざいかぎ》にかかった鉄瓶を下ろした。それを見るともなく見ていた左右次が話を再開した。

「おらんが吉原に売られてきたのは、弘化《こうか》が嘉永《かえい》元年（一八四八）と変わった七年前のことだ。十三歳のおらんを睦月楼に連れていったのは女衒《ぜげん》の彪吉《ひょうきち》、この父つぁんでさあ」

と左右次が隣に座る老人を顎《あご》で指した。

彪吉と呼ばれた年寄りがぺこりと藤之助に頭を下げた。すると目の縁に目やにがこびりついているのが見えた。

「あの当時の睦月楼は勢い盛んでねえ、お職に光香《こうか》という花魁がでーんと座り、楼じゅうに活気がございました。そのせいで玉の揃った新造や禿がいたんで。そこでおらんは十日も経たないうちに稲木楼に転売されたそうなんで、人の移り変わりの激しい吉原では忘れられた話です」

と藤之助に説明した左右次が、

「父つぁん、先はもう一度このお侍に申し上げねえ」

と命じた。

その時、格子窓を見張っていた手先の一人が、

「親分」

と呼んだ。

「ちょっと待った、彪吉の父つぁん」

と口を開こうとした女衒を止めると格子窓に寄った。

藤之助も格子窓に寄ると川向こうの睦月楼仮宅に派手な色柄の綿入れを着た女が藤之助の挟んだ手紙を手になにかを考えている風情が見えた。そして、奥に向かって人でも呼ぶ様子を見せた。

「あの女が睦月楼の女将おきわでさあ」

と左右次が藤之助に教え、さらに言った。

「どうやらどこぞに手紙を届けさせる様子ですねえ」

親分の言葉に兎之吉らがすぐに尾行の仕度を始めた。

「それがしも参ろうか」

藤之助は手紙の届け先を辿れば瀬紫、左京為清に行きつくと思い、左右次親分に訊いた。

「本宮様のお手紙の内容にもよりましょうが、まずは餅は餅屋にお任せなさい。本宮様の出番は相手がしかといたと確かめられた後でも遅くはございますまい」

と言う左右次の視界に男衆が一人姿を見せて、おきわから藤之助の手紙を受け取った。

兎之吉らが番小屋から出ていき、睦月楼の仮宅からも男衆が堀端の道を北へと向かった。

おきわがそれを見送る風情で立っていたが綿入れの襟に首を竦《すく》めると家へと入っていった。

囲炉裏端に左右次と藤之助が戻ると、彪吉が途中になっていた茶を淹れて二人に出した。

「父つぁん、待たせたな」

彪吉は自ら淹れた茶を啜《すす》ると、

「わっしが買った禿の中でもおらんは一、二を争うなかなかの別嬪《べっぴん》でしたよ。だがねえ、悪いことに光香花魁の末の妹が禿で入ったばかり、おらんのいる場所が半籬の睦月楼にはなかったんで。それでわっしが呼ばれて、どこぞにおらんを欲しいという楼を探してこいと命じられたんでさあ」

「それが稲木楼であったか」

「へえっ、そのころの稲木楼には米櫃《こめびつ》になる花魁がいなくてねえ、禿も一人としていなかったんでさあ。それを甲右衛門さんがおたねさんの着物なんぞを質に曲げて、睦月楼へ払う金子を作りなすった。確かわっしの記憶だと四十五両と思ったがねえ」

「十三歳のおらんにこの楼替えはどう映ったのであろうか」

「お侍、それでさあ。おらんは気の強い娘でねえ、吉原に売られたことよりも睦月楼から弾き出されたことに腹が立ったようなんで、わっしが楼から楼へ案内していくときも一言も口を利きませんでしたよ。よほど悔しかったのでしょうよ。後々、瀬紫が睦月楼の主と女将さんには深い恨みを感じていると言うのをこの耳で聞きましたっけ」

「そのことが此度の睦月楼仮宅を影から支配しようと考えた切っ掛けであろうか」

「さあてね、そこを考えるのは巽屋の親分の仕事だ。わっしが言えるのはさ、睦月楼から追い出されたことが、おらん改め瀬紫が稲木楼のお職を張るまでの力になったということでさあ」

藤之助は十三歳の娘心の複雑さを考えていた。

「おらんが吉原の大門を潜って七年、睦月楼は落ち目になり、反対に稲木楼は瀬紫が稼ぎ頭に伸《の》し上がって勢いを取り戻した」

「そんな最中に今度の大地震が襲ったというわけでさあ」

と左右次が話に加わった。

「親分は稲木楼の穴蔵から持ち出した八百四十両余りの金子が睦月楼の仮宅の資金になったと考えておられるのだな」

「本宮様、座光寺の殿様と瀬紫は結構前から吉原を抜ける企てを考えていたんじゃないかと思うんですよ。そうじゃなきゃあ、こうとんとんとうまくはいかねえ。ただ一つの偶然が大地震だ、それが二人の企てを大いに助けた。仮宅でひと儲けしようと考え出したのは瀬紫だ、睦月楼への恨みもございますからね」

「親分、恨みと言いなさるが、おらんが瀬紫として花を開かせたのは稲木楼だからですぜ。もしあのまま睦月楼に残っていたら、お職の光香に潰された。こいつはさ、長年、女を売り買いしてきた女衒の勘でさあ」

左右次が大きく頷き、

「逆恨みというわけだが、見方さえ変えていれば瀬紫もこんな真似をしないで済んだものを」

と言った。

「本宮様、わっしらが推量したことが当たっているとしましょうか。座光寺家は左京為清様をどうなさる気ですかえ」

「まずお会いする。それしかそれがしの口からは申せぬ。あとは重臣方がお決めになることだ」

「本宮様、左京様に会われるときはお一人でございますな」

「親分、そうして貰えるか」

左右次が藤之助の顔をしばし正視し、重い吐息を吐《つ》いた。

「致し方ございませぬ。だが、瀬紫の身柄はわっしらが押さえますぜ。あの女は地震を幸いに吉原を足抜けした人間でございましょう。こいつは吉原では許せるものではないんでさあ」

吉原面番所に出入りする御用聞き巽屋の左右次は、お上の考えよりも吉原の理屈で生きる人間だった。

今度は藤之助が頷いた。

片桐朝和神無斎から受けた使命はただ一つ、

「左京為清の始末」

だけだ。

睦月楼の男衆を尾行した手先の一人岩助《いわすけ》が戻ってきたのは出かけておよそ一刻半後のことだ。

「親分、使いが行った先は深川富川町の御天主番頭《おてんしゅばんがしら》、田中弥左衛門《たなかやざえもん》の屋敷だ。使いは屋敷に半刻ほど待たされて出てきた。そろそろ戻ってきてもいいころだ」

「兎之吉は見張りか」

「へえっ」

と岩助が答えたとき、格子窓から見張っていた手先が、

「親分、使いが戻ってきたぜ」

と報告した。

「御天主番頭か、禄高は分かるか」

「出入りの酒屋で聞くと四百三十石、一年前までは無役で暮らしにも困ったらしいや。それがようやく御役に就いて一息ついたというだ」

「もしや御役に就くにあたって品川家が口利きしたということはあるまいな」

「酒屋ではそこまでは分からねえ。まずは親分の指示を仰ごうと戻ってきたんだ」

左右次が藤之助を見た。

「手紙が届けられたということは座光寺左京為清様が田中という旗本屋敷に潜り込んでいるのは確かということでございましょうな」

「瀬紫も一緒であろうか」

「吉原の女郎を旗本屋敷が受け入れるかどうか。どれほど田中の家に高家肝煎品川家が無理を言える仲かということにつきましょうな。だが、わっしは、瀬紫が睦月楼にいると見ました。旗本屋敷にいるのは左京様だけですよ。となると左京様がいつ動く

か」

「手紙次第か」

「へえっ、本宮様がお書きになった手紙が鍵でございますよ」

「日中は動くまい」

藤之助の返答に左右次がただ頷いた。

「となれば本宮様、ちょいとばかり体を横になさいませ。動きがあればお知らせ申しますよ」

左右次は徹夜の藤之助の身を気遣《きづか》った。

「そうさせてもらおう」

藤之助は板の間の隅に積んである夜具を被って板の間にごろりと横になった。

眠りはすぐにやってきた。

どれほど眠ったか、藤之助は体を揺すられて目を覚ました。

格子窓から差し込む淡い明かりはすでに夕暮れを教えていた。

「やはり御天主番頭の田中弥左衛門は品川家に賂《まいない》を贈り、なんとか御天主番頭の職を得て、役料を貰える身分になったんですよ」

と左右次が告げた。

藤之助が眠り込んでいる間に巽屋の手先たちが働いて探ってきたようだ。

すでに老女衛の彪吉の姿はなく、番小屋には睦月楼仮宅を見張る手先が一人残っているだけだ。

「田中の屋敷から左京為清様らしき人物は出かけられた様子はござらぬか」

「兎之吉らが見張ってますが、その形跡はございませんや。手紙に釣りだされるとしたら刻限は本宮様がご存じだ」

「親分、夜半過ぎとだけ答えておこう」

「ならば本宮様が行動を起こされた後、わっしらは稲木楼の旦那の甲右衛門さん、吉原会所の連中と仮宅に押し込みますぜ」

どうやらすでに打ち合わせはなっているようだ。

「承知した」

「本宮様、腹が減っては戦《いくさ》もできませんや。山谷から飯が届いてます。お食べなせえ」

囲炉裏の自在鉤には鉄鍋がかかり、白身の魚のぶつ切り、南瓜《かぼちゃ》など野菜を入れた海鮮鍋ができあがっていた。そして板の間には重箱に握り飯が並んで、その端には大根や瓜の古漬けが添えられてあった。

左右次が丼に海鮮鍋を注いでくれた。

「親分にこのようなことまでやらせて相すまぬ」

藤之助がそういうと左右次が、

「此度の一件が座光寺家に、いやさ、おまえさんによいことであればよいがねえ」

としみじみと呟いた。

四

本宮藤之助が動いたのは四つ（午後十時）の時鐘を聞いた後だ。

番小屋の水甕《みずがめ》に柄杓《ひしやく》を突っ込んで水を汲み、ゆっくりと噛《か》み締めるように嚥下《えんか》した。さらに藤源次助真《とうげんじすけざね》と脇差の柄に口に含んだ新たな水を吹きかけて湿らせた。

柄を手で握り締めて感触を確かめ、小さく頷いた。

羽織を脱いで、上がり框《がまち》に置き、懐から赤い扱《しご》き紐《ひも》を出した。

今朝未明、南蔵院の離れ屋を去ろうとする藤之助に引田武兵衛が、

「本宮、これをもて」

と紐を差し出した。

「文乃が存分に戦い下されとこれをそれがしに託した」

と言った。

文乃の好意の扱き紐を襷《たすき》がけした。

懐に残ったのは「首斬安堵」と使い慣れた刃渡り四寸余の小鉈だけだ。

仕度する藤之助を巽屋の左右次や兎之吉らが黙って見ていた。

藤之助は上がり框の羽織を取ると袖は通さず肩に羽織った。そして、片手で襟を掴み、

「親分、ご一同、世話になった」

と挨拶した。左右次らが首肯《しゅこう》し、

「ご武運を」

と声をかけた。

頷き返した藤之助は番小屋を出た。

月もなく星明かりが深川界隈を薄く照らしつけていた。

藤之助は材木置き場を出ると通りに出た。

汐見橋へ戻り、橋を渡った。

睦月楼仮宅は今晩も賑わいを見せているようで煌々《こうこう》とした明かりを堀の水に映し、

三味線の調べと鉦《かね》の音を響かせていた。

門前には駕籠が待ち受けていた。

藤之助はそのかたわらをすたすたと抜けると三十三間堂の山門前へと差し掛かった。

京都の蓮華王院《れんげおういん》三十三間堂を模して建てられた南北六十六間、東西四間、四面は回り縁の堂で、本尊は千手観音だ。

南北に長い堂宇《どうう》の敷地を堀が取り囲んでいた。

寛永十九年（一六四二）に弓射稽古のために浅草に建てられたという。しかし、建築を請け負った新両替町の弓師備後が材木商の支払いを滞ったために建築は中断し、遅れたという。

正保《しょうほう》元年（一六四四）、普請を受け継いだ堺屋久右衛門《さかいやきゅうえもん》が拝領し、堂守を勤めることになった。

元禄《げんろく》十一年（一六九八）の火災で類焼し、深川へと移転して再建された。土地の名も深川三十三間堂町と称された。

通し矢は西側の回廊を使って行われ、江戸の名物になっていた。

藤之助は山門の下の闇で足を止めた。

座光寺左京為清に宛てた手紙で藤之助が呼び出したのがこの三十三間堂、刻限は夜半九つ（午後十二時）であった。

すでに三十三間堂には殺気が静かに満ちていた。

藤之助は薄ぼんやりとしか望めぬ三十三間堂の甍《いらか》を眺めた。

巽屋の左右次はその様子を通りから見ていた。

座光寺左京為清に会うときは一人にしてくれというのが藤之助の頼みだった。一旦《いったん》は応諾した左右次は、伊那谷から二昼夜かけて江戸に駆け付けた若武者の行動が気になり、後をそっと尾行したのだ。

藤之助が肩に羽織を羽織ったままに走り出した。

星明かりが藤之助の長身を照らし出した。

弓弦《ゆづる》が屋根の上で鳴り、矢が一条、二条と藤之助の姿を狙って飛んできた。だが、藤之助は羽織を脱ぎ捨てるとじぐざぐに走り、矢はその後方の地面に突き立った。

虚空に飛んだ羽織が、
ふわり
と地面に落ちたとき、藤之助は回廊の端にひょいと飛び上がっていた。

左右次は山門下の暗がりに身を移動させていた。

藤之助はそのとき、西の縁へと回り込み、その先端に立っていた。

三十三間先のもう一方の端に弧に絞られた強弓の弦が鳴った。矢が弦を放れ、三十三間をひとつ飛びに縮めた。

藤之助は腰を落として助真を抜き放ち、走り出した。

走り出して七、八間、矢が藤之助の胸に突き立とうとした。

助真が一閃《いっせん》し、飛来する矢が二つに斬り割られた。

藤之助の足は止まらない。

二の矢とさらに五、六間先で遭遇した。

再び助真が閃《ひらめ》き、矢が無益にも二つになって回廊の下へと落ちた。

藤之助は走り、三の矢、四の矢を悉《ことごと》く斬り伏せた。

矢継ぎ早に放つ弓手の弾んだ呼吸が藤之助の耳に届き、足を止めた。

その瞬間、弓手は五の矢を継ごうとしていた。

間合いは十間を切っていた。

藤之助は助真を左手に持ち替え、右手を空手にした。

弓手の両眼が大きく見開かれ、必死で五の矢を継ぎ、満月に絞り上げようとした。

藤之助の右手がゆっくりと懐に入り、使い慣れた小鉈の柄を掴んだ。

矢が藤之助の額に向けられたのと藤之助の手首が閃いて、小鉈が三十三間堂の回廊を一気に飛んだのが同時だった。

左右次はようやく西の回廊が見渡せる塀下の暗がりに辿り着いた。そして、三十三間堂を四本通し矢にした弓手が立ち竦《すく》む姿を見た。

満月に絞り切ろうとした直前、小鉈の刃が弓手の額に突き立ったのだ。

ぐえええっ
絶叫が夜の堂に響き、八分どおり引き絞られた弓から矢が藤之助のかたわらを力なく飛び去った。

回廊のあちらこちらから十数人の影が現れた。

藤之助はその影の数人が長柄の槍を構えているのを見た。

すでに真槍の先が星明かりに不気味に煌《きらめ》き、
ずずずっ
と三方から藤之助を囲んで迫った。

真ん中の巨漢が朱塗りの大槍を扱くと藤之助の胸を目掛けて下から突き上げた。

藤之助は読んでいた。

すでに右手に持ち替えていた助真が閃き、千段巻を斬り落とした。

「くそっ！」
罵《ののし》り声を聞き流し、西の回廊を南へと戻るように横走りした。その藤之助に二本目の穂先が突き出されたが藤之助は、軽く千段巻を弾いた。流れた穂先が三十三間堂の板戸を刺し貫いた。
三番手の槍持ちは藤之助の横走りに合わせて移動しつつ、穂先を繰り出した。
その瞬間、藤之助は回廊の床を蹴り、虚空に身を置くと突き出された槍の穂先が藤之助の足下に流れていった。
巽屋の左右次は不思議な光景を目にした。
回廊から飛び上がった藤之助の足が突き出された槍の柄に止まると、
つつつっ
と走り、驚く槍持ちの眉間を一撃の下に斬り割ったのだ。
(鬼か蛇か、それとも阿修羅の化身かえ)
老練な御用聞きは呻いた。
その視界の先で藤之助が、
ひょい
と三十三間堂の地面に降り立ち、眉間を割られた槍持ちの体が、

ずでんどう
と倒れた。

目まぐるしいほどの藤之助の動きだった。

ようやく動きを止めた藤之助を残りの十人ほどが大きく取り囲んだ。

左右次は信濃一傳流の遣い手の若者の口から、

「天竜暴れ水」

という言葉が洩れたのを聞いた。

無言劇の中、唯一吐かれた言葉らしき言葉だった。

しばし静寂が続いた。

まず刃渡り二尺六寸五分の助真が天を衝くように差し上げられ、止まった。

左右次はその構えの雄大さに驚かされた。

若者の構えには虚栄や驕《おご》りは見えなかった。

その姿からまだ見ぬ伊那谷の風景が見えるようだと左右次は思った。

一万尺を超えるという雪を被った赤石岳の高嶺と滔々《とうとう》と雪解け水を遠州灘へと流す天竜川が脳裏に浮かび上がった。

「えええいっ！」

気合声が発せられたとき、戦局は再び動いた。

天竜川の激流は岩を食む前に水底へと沈み込む。

低い姿勢に変わった藤之助の長身が次の瞬間には赤石岳を下に見下ろすように飛び上がり、それが舞い降りてきたときには一人の襲撃者の額から、
ぱあっ
と血飛沫《ちしぶき》が上がり、悲鳴もなく横倒しに倒れていた。

だが、一人目が倒れた時には藤之助の体は横手一間半の地点まで飛んで二人目の胴が抜かれ、さらに右へと折り返すと三人目の肩が割られていた。

左右次の目には岩場にぶちあたりながら下流へと下る天竜川の飛沫のようにその動きは映じた。

それは自らの意思よりも自然の地形が生み出す造形であった。それだけに飛沫はどこへ飛ぶか予測も出来なかった。

ひたすら走り、飛び、沈み込み、再び、天へと跳ね上がった。

その度に一人二人と襲撃者たちの数が減り、ついに三十三間堂に立つ者は三人だけになった。

すでにその三人から戦闘意欲は感じられなかった。

「無用な殺生はしたくござらぬ」

その言葉が三人の最後の使命感をこそぎ取った。

わああっ
と叫びながら三十三間堂から姿を消した。

静寂が辺りを包んだ。

藤之助の弾む息だけが響いていた。

三十三間堂の北の端に大きな影が立った。

無言の儘《まま》に影は歩いてきた。

藤之助はその様子を荒い息を鎮めつつ眺めていた。

二つの影は驚くほど似通っていた。

回廊の上と地面に立つ藤之助が五間の間合いで静かに睨み合った。

「座光寺左京為清様にございますな」

「そのほうは」

「座光寺家の臣、本宮藤之助にございます」

「余を呼び出したのはそちか」

「いかにも」

「伊那谷の山猿がなんのようか」

「左京様、何用あって三十三間堂にお見えになりましたな」

左京が笑った。

「左京様、地震が江戸を襲った夜、吉原稲木楼から女郎の瀬紫と逃げ出すに際し、穴蔵の八百四十余両盗み出されましたな」

「知らぬな」

「その金子が揚屋町の半籬睦月楼仮宅の資金になった。瀬紫にとって睦月楼は吉原に最初に身売りされた楼だそうな」

「本宮とやら無駄話は止せ」

「なぜそなた様の身を案じて探しに来られた猪熊四郎兵衛様と磐田千十郎様を殺害なされましたな」

「まさかあの惨禍の最中に家来に会おうとは予測もしなかったわ」

「生きておることを悟られぬために二人の臣を殺害なされましたか」

「おう、それがどうした」

左京は正直に答えていた。

「さらには瀬紫の父親と兄まで始末なされましたな」

「あの父と兄は十三の瀬紫を吉原に売った人でなしじゃあ」

「というのは屁理屈にございましょう。そなた様と瀬紫は生きておることをだれにも知られたくなかったのではございませぬか」

「伊那の山猿には分かるまいが動乱の世が来る。となれば力になるのは金と情報《ひみつ》よ」

「その情報とは」

「座光寺家が代々受け継いできた使命じゃあ」

「使命ですとな」

藤之助はとぼけた。

「おれは四年も前に座光寺家に養子に入ったにもかかわらず、上様とのご対面は適《かな》わず座光寺家に受け継がれる極秘の奉公も知らされぬままだ。それで座光寺家の当主といえるか」

「陣屋家老片桐朝和様と江戸家老引田武兵衛様にはそなた様が座光寺家の長としてふさわしいかどうか疑いをもたれた」

「田舎に知行地をもつ田舎旗本の家臣どもが小ざかしいわ」

左京が懐から錦織の袋に入った短刀を出した。

「そのほう、確かに首斬安堵状を持参したか」

藤之助も懐から葵の御紋が入った袱紗《ふくさ》包みをちらりと出して差し示した。

「やはり左京様は座光寺一族の秘密を承知でございましたか」

「余の実家は高家肝煎の家柄、城中で交わされる風聞の類には不自由せぬわ」

「それを承知で座光寺家に養子に入られましたか」

「薄々とはな。だが、養子に入り、あまりにも貧乏たらしい暮らしに驚き入った。何度実家に逃げ帰ろうかと思うたことよ」

「今は如何《いかが》にございますか」

「包丁正宗と家光様がお出しになった御朱印状、首斬安堵の二つを握って騒乱の世に備える。座光寺家はその足がかりじゃあ」

と左京が言い放った。

「左京為清様、お命頂戴申す」

「そのほう、主君のおれを斬ると申すか。主殺しが出来るか」

左京は南に向かってゆっくりと二間ほど進み、
くるり
と方向を転じるとその場に座した。そして、自らの前に包丁正宗を置いた。

「そのほうが望んだことだ。家来を成敗したおれが勝ち残るか、主殺しの汚名を負ってそのほうが包丁正宗と首斬安堵の二つを手にするか」

藤之助は血に濡れた助真に血振りをくれると鞘に納め、腰から抜いた。助真を手に回廊へ飛び上がった。

「左京様には林崎夢想流の、座り居合と申す秘剣があるそうな」

「それを承知でおれの誘いに乗ったか」

左京の左側は庭に面し、自在に居合術を使うことが出来た。

反対に藤之助の左手は回廊の板戸で左京の座り居合に抜き合わせることは適わなかった。

それを承知で左京は藤之助の前を一旦通り過ぎ座を占めたのだ。

藤之助は助真を自らの膝の前に横たえた。

柄頭は藤之助の右手に、鐺《こじり》は左手にあった。そうしておいて、首斬安堵を包丁正宗のかたわらに静かに滑らせた。

同じ居合対決ならば左京に絶対的に有利な状況だった。

左京と藤之助は間合い一間で対座し、その中間に座光寺家の秘密が置かれてあった。

その手前に藤源次助真の一剣があった。

二人は静かに相手の相貌を見詰め合った。

戦機が熟して濃密な空気が二人の間に漂った。

左右次は息を飲んで二人の戦いを凝視していた。

「本宮藤之助、しかと主君殺しの覚悟ありやなしや」

「そなた様は座光寺家の真の長《おさ》に非《あら》ず」

「抜かせ」

左京の右膝が気配もなく立てられた。

腰が浮き、体の左に置かれた剣に左手がかかり、右手が柄を握った。

一連の動作は流れる水の如く滑らかに一瞬裡《り》に行われた。

左右次は左京の鍔《つば》鳴りを聞いて、

(本宮藤之助、敗れたり！)

と覚悟した。

その直後、正座したままに藤之助の体が虚空に浮き、奔流する水に乗って下流へと迸《ほとばし》る流れの如く飛んだ。

左京が抜き打ち、光に変わった刃の上に藤之助は身を浮かばせていた。

おおおっ！

と思わず左右次は叫んでいた。

驚きは早かった。

藤之助の折り曲げられた両足が伸びて、片膝を突いて上半身を起こした左京の両肩に止まり、腰の脇差、座光寺家四代喜兵衛為治が自ら鍛えた一剣が左京の眉間を深々と斬り割った。さらに肩に止まった両の足が左京の五体を回廊下へと蹴り落としていた。

一瞬の早業だ。

今や立場が逆転していた。

回廊上には藤之助が立ち、三十三間堂の地面には左京為清の巨体が断末魔の痙攣《けいれん》を繰り返していた。

壮絶な戦いの結末に左右次は石のように硬直していた。

左右次が、

「今度はわっしらが働く番だ、睦月楼仮宅への打ち込みだ」

と御用を思い出したとき、本宮藤之助の姿はすでに三十三間堂から消えていた。

安政二年（一八五五）霜月朔日《しもつきさくじつ》、交代寄合衆座光寺為清は十三代将軍徳川家定との

お目見を無事に終え、家臣らが待つ数寄屋橋《すきやばし》御門に出てきた。

座光寺為清を迎えたのは陣屋家老の片桐朝和と江戸家老の引田武兵衛であった。

「為清様、ご対面無事に終えられましたか」

片桐が若い主に問うた。

「家定様、思いの外、磊落《らいらく》にお言葉をそれがしの耳元で囁かれたぞ。座光寺家の首斬安堵、余に差し出すは此度《こたび》の御目見のみ、一度にせよとな」

「ほう、そのようなお言葉を藤之助に申されましたか」

と答えた引田武兵衛をじろりと片桐神無斎が睨《にら》み、

「これはしたり、為清様」

と慌てて言い直した。

この日、本宮藤之助は姿を消し、座光寺左京為清と変わった。そのことを藤之助は、座光寺一族の
「宿命《さだめ》」

と考えていた。

片桐朝和が駕籠を手招きし、

「為清様、ご養母列様が祝いの膳を用意してお待ちになっておりましょう。急ぎ牛込

御門外の屋敷に戻りましょうかな」
と言った。
布衣《ほうい》の座光寺為清は長身を折って駕籠に乗り込んだ。

解説

細谷正充（文芸評論家）

時代小説ファンならば興奮必至。佐伯泰英が新シリーズを引っさげて、講談社文庫初登場である。それが本書『変化《へんげ》　交代寄合伊那衆異聞』だ。従来の作品とは一味ちがう、新たな佐伯ワールドの開幕。作者の愛読者はもちろん、これから佐伯泰英を読もうと思っている人にも、自信を持ってお薦《すす》めしたい極上品である。

すでにご存知の読者も多いと思うが、講談社文庫初登場ということもあり、まずは作者のプロフィールを紹介しておきたい。

佐伯泰英は、一九四二年、福岡県に生まれる。日本大学芸術学部映画学科卒。一九六九年からヨーロッパ各地を放浪し、翌七〇年には妻子と共にスペインに滞在。七一年から本格的なスペイン暮らしを始め、七四年に帰国するまで闘牛の取材をする。七六年、それまでに撮影した写真に文章を添えたフォト・エッセイ集『闘牛』で文筆活動を始める。八一年には『闘牛士エル・コルドベス一九六九年の叛乱』で、第一回PLAYBOYドキュメント・ファイル大賞を受賞。以後、ノンフィクション・ライターとして、ボクシング・ビジネスの内幕を描いた『狂気に生き』などの作品を発表した。

ノンフィクションのジャンルで活躍していた作者が、小説に乗り出したのは、一九八七年の『殺戮の夏　コンドルは翔ぶ』（『テロリストの夏』と改題）からである。この時期はスペインを始めとする豊富な海外経験を生かした国際冒険小説とミステリーが中心となる。代表的な作品として、フランコ政権末期のスペインで、テロリストに妻子を殺されたカメラマンが暗殺計画に巻き込まれていく『ユダの季節』及び、その姉妹篇の『白き幻影のテロル』を挙げておきたい。また、九四年の『犯罪通訳官アンナ　射殺・逃げる女』（『五人目の標的』と改題）では、日本を舞台にしながら、犯罪通訳官という役職を創作。国際化する日本の現状を鋭く掘り下げた。

このようにノンフィクション・ライターから、冒険・ミステリー作家へと転進した作者は、もう一度、新たな世界に挑む。時代小説である。一九九九年、『密命――見参！　寒月霞斬り』『瑠璃の寺』（『悲愁の剣』と改題）を相次いで上梓《じょうし》。あっという間に、時代小説界に確固たる地歩を築いた。その後、前述の「密命」を筆頭に「古着屋総兵衛影始末」「吉原裏同心」「鎌倉河岸捕物控」「居眠り磐音江戸双紙」「酔いどれ小籐次留書」など、数多くの人気シリーズを抱えて現在に到るのである。しかも驚くべきことに、二〇〇五年には「密命」シリーズのガイド・ブック『「密命」読本』まで出版されているではないか。現在、文庫書き下ろしの時代小説が花盛りだが、その勢いを牽引するトップ・ランナーの役割を果たしているのだ。

さて、この調子で書いていると経歴だけで終わってしまいそうなので、そろそろ本書の内容に触れよう。本書のサブタイトルにある〝交代寄合〟とは聞きなれない言葉だが、これは旗本でありながら、大名同様に参勤交代を義務付けられた家のこと。ある種の特権であり、名誉の家柄といっていいだろう。だが、幕府が参勤交代をさせる大きな目的のひとつは、大名家に金を使わせ、経済力を削《そ》ぐことだ。したがって莫大《ばくだい》な費用がかかるシステムになっており、交代寄合にとっても重荷である。

信州伊那谷《いなだに》にある一千四百石の直参《じきさん》旗本・座光寺《ざこうじ》家も、参勤交代を強《し》いられ、武士の体面を保つために汲々《きゅうきゅう》としていた。おまけに養子に迎えた十二代当主・左京為清《さきょうためすが》は、座光寺家の人々を田舎者と侮《あなど》り、吉原通いの日々をおくっている。高家肝煎《こうけきもいり》という家柄と、剣の達人とのことで左京為清を養子にした座光寺家にとっては、とんだ眼鏡違《めがね》いであった。その左京為清が、なぜか家宝の包丁正宗を持ち出したまま、吉原で安政の大地震に遭遇。行方不明になってしまう。しかも、左京為清の行方を捜す座光寺家の侍ふたりが、何者かに斬り殺されてしまった。当主が行方不明、家宝が紛失では、お家取り潰しが決まったようなものである。

座光寺家の安否を確認するため、伊那から二昼夜走り詰めで江戸屋敷に駆けつけた本宮藤之助《ほんぐうとうのすけ》は、左京為清の生死と、包丁正宗の行方を捜すよう命じられ、地震の爪痕《つめあと》が生々しく残る吉原へ向かう。この本宮藤之助が、本書の主人公だ。天竜川で産湯をつかった生粋の伊那衆である藤之助は、下級武士であるが、信濃一傳流《しなのいちでんりゅう》の遣い手。師匠の片桐神無斎《かたぎりじんむさい》から免許を与えられた信濃一傳流に、独自の工夫を加えた秘剣を身につけていた。その名も「天竜暴れ水」――天竜川が荒れる時期、流れは奔流《ほんりゅう》となり、飛沫《しぶき》は八方に飛ぶ。その天竜川の暴れ水のように、どこへ狙いを定めているのか分からぬように八方睨《にら》みで攻撃する、激しい攻撃の剣である。

藤之助の目に映った吉原。そこは焼死体が折り重なる地獄だった。左京為清の馴染《なじ》みは、稲木楼《いなきろう》の瀬紫《せむらさき》という遊女だが、その稲木楼も燃え落ちている。未曾有《みぞう》の災害に、人心も荒廃していた。だが、焼死体を集め、神葬祭の真似事《まねごと》を執《と》り行った藤之助に、吉原面番所御用聞きの巽屋左右次《たつみやそうじ》や稲木楼の主人が好意を寄せる。その甲斐あってか、左京為清と瀬紫らしいふたりが、稲木楼から逃げ出したという情報を摑んだ。とすれば左京為清は生きているのか。藤之助は、巽屋左右次の手下の兎之吉《うのきち》と共に、瀬紫の故郷の三河島《みかわじま》村に向かう。お家の為、必死の捜査をする藤之助。だがその行く手には、意外な強敵と、思いもかけない運命の変転が待ち構えているのであった。

本書は、新シリーズ第一弾ということもあり、交代寄合といった座光寺家の家柄や、本宮藤之助の運命の変転など、さまざまな新基軸が打ち出されている。特に主人公の扱いは、いままでにないパターンで、驚いてしまった。さらにさらに、この作品には驚くべき仕掛けがあるのだが、それは読んでのお楽しみとしておこう。しかしまあ、よくぞこんなビックリ仰天のアイディアを思いつくものである。おまけに仕掛けが明らかになった時点で、なぜ幕末を舞台にしているか、その理由も判明するのだから恐れ入る。数奇な運命に導かれた主人公が、激動の時代をいかにして生きていくのか。今後の展開を想像すると、興奮しすぎて夜も眠れなくなりそうだ。

もちろん佐伯作品の読みどころである、チャンバラ・シーンもばっちりだ。数度に渡る斬り合いのシーンがあるが、そのどれもが迫力満点。なかでもラストに待ち構えている、乱戦、そして強敵との一対一の対決へと流れていくシーンは素晴らしい！

ああああ、これから本書を読む人もいると思うので詳細は省くが、まるで映画のクライマックスを観ているかのように、斬り合う場面が眼前に浮かぶ。それほど鮮やかなチャンバラ・シーンなのだ。堪能《たんのう》していただきたい。

さらに主人公の魅力も忘れられない。単にチャンバラが強いだけでなく、実に気持ちのいい男である。上司の命を守り、二昼夜で江戸まで駆けつける、真っすぐな心。吉原の焼死体を集めたときに見せた、剛毅と優しさ。吉原面番所御用聞きの巽屋左右次と、その手下の兎之吉。稲木楼の主人。あるいは武具屋の娘で、座光寺家の江戸屋敷で働く文乃《あやの》。江戸に出てきた藤之助が知り合った人々が、彼に好意を抱くのも当然のことといえよう。そうした人々との濃密な触れ合いから、藤之助を中心とした人の輪が、どのように発展していくのか。それを見守るのも、シリーズのこれからの楽しみどころであろう。

それにしてもだ。一月一冊強のペースで文庫書き下ろしをしている作者に、よく新シリーズを開始するだけの余力があるものだと感心するが、これについて『「密命」読本』収録のインタビュー「闘牛から時代小説へ」（聞き手は私が務めた）で、興味深いことを述べている。ちょっと引用してみよう。

細谷　シリーズものは、今抱えているのでいっぱいいっぱいという感じでしょうか。

佐伯　いっぱいです。すでにもう飽和状態なんだろうと思うんですよね。だけど、やはり物書きにしてもなんでもそうなんですけど、新しいものを一年か二年に一回はつくっていかなきゃいけないなと。去年、幻冬舎の『酔いどれ小籐次留書』を書いて、今年もなんとかどこかで新しいものをと思っています。

そうなのだ。エンタテインメント作家というのは、常に新しい境地に挑まなければならない。読者は貪欲であり、面白い作品を読んでしまえば、その次には、さらに面白い作品が読めることを期待するものである。したがって前作と同等の面白さでは、物足りなさを感じてしまうのだ。贅沢《ぜいたく》といえば贅沢。だがそれが読者の、偽らざる気持ちである。

作者はそうした読者の気持ちを理解している。それに応えることが、人気作家の使命だと知っている。だから〝新しいものを一年か二年に一回はつくっていかなきゃいけない〟と思い、果敢に実行する。佐伯泰英は、けっして守りに入らない。つねに自己を〝変化〟させ、攻めの姿勢を貫くのだ。その最新の成果が本書なのである。

本書は文庫書下ろし作品です

|著者|佐伯泰英　1942年福岡県生まれ。闘牛カメラマンとして海外で活躍後、国際冒険小説執筆を経て、'99年から時代小説に転向。迫力ある剣戟シーンや人情味ゆたかな庶民性を生かした作品を次々に発表し、平成の時代小説人気を牽引する作家に。文庫書下ろし作品のみで累計1000万部を突破する快挙を成し遂げる。「密命」「居眠り磐音江戸双紙」「吉原裏同心」「夏目影二郎始末旅」「古着屋総兵衛影始末」「鎌倉河岸捕物控」「酔いどれ小籐次留書」など各シリーズがある。講談社文庫では、本書が待望の初作品。

変化《へんげ》　交代寄合伊那衆異聞《こうたいよりあいいなしゅういぶん》

佐伯泰英《さえきやすひで》

2005年7月15日第1刷発行
2007年12月3日第10刷発行

発行者――野間佐和子
発行所――株式会社　講談社
東京都文京区音羽2-12-21　〒112-8001
電話　出版部（03）5395-3510
　　　販売部（03）5395-5817
　　　業務部（03）5395-3615

Printed in Japan

講談社文庫

定価はカバーに
表示してあります

デザイン―菊地信義
本文データ制作―講談社プリプレス制作部
印刷――大日本印刷株式会社
製本――株式会社国宝社

ISBN4-06-275136-4

講談社文庫刊行の辞

二十一世紀の到来を目睫に望みながら、われわれはいま、人類史上かつて例を見ない巨大な転換期をむかえようとしている。

世界も、日本も、激動の予兆に対する期待とおののきを内に蔵して、未知の時代に歩み入ろうとしている。このときにあたり、創業の人野間清治の「ナショナル・エデュケイター」への志を現代に甦らせようと意図して、われわれはここに古今の文芸作品はいうまでもなく、ひろく人文・社会・自然の諸科学から東西の名著を網羅する、新しい綜合文庫の発刊を決意した。

激動の転換期はまた断絶の時代である。われわれは戦後二十五年間の出版文化のありかたへの深い反省をこめて、この断絶の時代にあえて人間的な持続を求めようとする。いたずらに浮薄な商業主義のあだ花を追い求めることなく、長期にわたって良書に生命をあたえようとつとめるところにしか、今後の出版文化の真の繁栄はあり得ないと信じるからである。

同時にわれわれはこの綜合文庫の刊行を通じて、人文・社会・自然の諸科学が、結局人間の学にほかならないことを立証しようと願っている。かつて知識とは、「汝自身を知る」ことにつきていた。現代社会の瑣末な情報の氾濫のなかから、力強い知識の源泉を掘り起し、技術文明のただなかに、生きた人間の姿を復活させること。それこそわれわれの切なる希求である。

われわれは権威に盲従せず、俗流に媚びることなく、渾然一体となって日本の「草の根」をかたちづくる若く新しい世代の人々に、心をこめてこの新しい綜合文庫をおくり届けたい。それは知識の泉であるとともに感受性のふるさとであり、もっとも有機的に組織され、社会に開かれた万人のための大学をめざしている。大方の支援と協力を衷心より切望してやまない。

一九七一年七月

野間省一

酒井順子　負け犬の遠吠え
佐野洋子　嘘ばっか〈新釈・世界おとぎ話〉
佐野洋子　猫ばっか
佐野洋子　コッコロから
桜木もえ　純情ナースの忘れられない話
佐藤賢一　二人のガスコン(上)(中)(下)
佐藤賢一　ジャンヌ・ダルクまたはロメ
笹生陽子　ぼくらのサイテーの夏
笹生陽子　きのう、火星に行った。
佐伯泰英　変《へん》化《げ》〈交代寄合伊那衆異聞〉
佐伯泰英　雷鳴〈交代寄合伊那衆異聞〉
佐伯泰英　風雲〈交代寄合伊那衆異聞〉
佐伯泰英　邪宗〈交代寄合伊那衆異聞〉
佐伯泰英　阿片〈交代寄合伊那衆異聞〉
沢木耕太郎　一号線を北上せよ〈ヴェトナム街道編〉
笹生陽子　バラ色の怪物
坂元純　ぼくのフェラーリ
里見蘭／三田紀房／原作　小説ドラゴン桜〈カリスマ教師集結篇〉
里見蘭／三田紀房／原作　小説ドラゴン桜〈挑戦！東大模試篇〉
佐藤友哉　フリッカー式〈鏡公彦にうってつけの殺人〉
佐藤友哉　エナメルを塗った魂の比重〈鏡稜子ときせかえ密室〉
桜井亜美　チェルシー
サンプラザ中野　〈小説〉大きな玉ネギの下で
司馬遼太郎　妖怪
司馬遼太郎　真説宮本武蔵
司馬遼太郎　風の武士(上)(下)
司馬遼太郎　新装版　播磨灘物語　全四冊
司馬遼太郎　新装版　箱根の坂(上)(中)(下)
司馬遼太郎　新装版　アームストロング砲
司馬遼太郎　新装版　歳月(上)(下)
司馬遼太郎　新装版　おれは権現
司馬遼太郎　新装版　大坂侍
司馬遼太郎　新装版　北斗の人(上)(下)
司馬遼太郎　新装版　軍師二人
司馬遼太郎　新装版　真説宮本武蔵
司馬遼太郎　新装版　戦雲の夢
司馬遼太郎　新装版　最後の伊賀者
司馬遼太郎　新装版　俄(上)(下)
司馬遼太郎　新装版　尻啖え孫市(上)(下)
司馬遼太郎　新装版　王城の護衛者
司馬遼太郎／海音寺潮五郎　日本歴史を点検する
司馬遼太郎／陳舜臣／金達寿　歴史の交差路にて〈日本・中国・朝鮮〉
司馬遼太郎／井上ひさし　国家・宗教・日本人
柴田錬三郎　岡っ引どぶ　正・続〈柴錬捕物帖〉
柴田錬三郎　お江戸日本橋(上)(下)
柴田錬三郎　三国志〈柴錬痛快文庫〉
柴田錬三郎　江戸っ子侍(上)(下)
柴田錬三郎　貧乏同心御用帳
柴田錬三郎　新装版　岡っ引どぶ〈柴錬捕物帖〉
柴田錬三郎　新装版　顔十郎罷り通る(上)(下)
城山三郎　ビッグボーイの生涯〈五島昇その人〉
城山三郎　この命、何をあくせく
白石一郎　火炎城
白石一郎　鷹ノ羽の城
白石一郎　銭の城
白石一郎　びいどろの城
白石一郎　庖丁ざむらい〈十時半睡事件帖〉

白石一郎 観音妖女〈十時半睡事件帖〉
白石一郎 刀〈十時半睡事件帖〉
白石一郎 犬を飼う武士〈十時半睡事件帖〉
白石一郎 出世長屋〈十時半睡事件帖〉
白石一郎 おんな舟〈十時半睡事件帖〉
白石一郎 東海道をゆく〈十時半睡事件帖〉
白石一郎 海よ島よ〈歴史紀行〉
白石一郎 乱世を斬る〈歴史エッセイ〉
白石一郎 海将(上)(下)
白石一郎 蒙古襲来〈海から見た歴史〉
志水辰夫 帰りなん、いざ
志水辰夫 花ならアザミ
志水辰夫 負け犬
新宮正春 抜打ち庄五郎
島田荘司 占星術殺人事件
島田荘司 殺人ダイヤルを捜せ
島田荘司 火刑都市
島田荘司 網走発遙かなり
島田荘司 御手洗潔の挨拶

島田荘司 死者が飲む水
島田荘司 斜め屋敷の犯罪
島田荘司 ポルシェ911《ナインイレブン》の誘惑
島田荘司 御手洗潔のダンス
島田荘司 本格ミステリー宣言
島田荘司 本格ミステリー宣言II〈ハイブリッド・ヴィーナス論〉
島田荘司 暗闇坂の人喰いの木
島田荘司 水晶のピラミッド
島田荘司 自動車社会学のすすめ
島田荘司 眩暈（めまい）
島田荘司 アトポス
島田荘司 異邦の騎士
島田荘司 改訂完全版 異邦の騎士
島田荘司 島田荘司読本
島田荘司 御手洗潔のメロディ
島田荘司 Pの密室
島田荘司 ネジ式ザゼツキー
島田荘司 都市のトパーズ2007
塩田潮 郵政最終戦争

清水義範 蕎麦《そば》ときしめん
清水義範 国語入試問題必勝法
清水義範 永遠のジャック&ベティ
清水義範 深夜の弁明
清水義範 ビビンパ
清水義範 お金物語
清水義範 単位物語
清水義範 神々の午睡(上)(下)
清水義範 私は作中の人物である
清水義範 春高楼の
清水義範 イエスタデイ
清水義範 青二才の頃〈回想の'70年代〉
清水義範 日本ジジババ列伝
清水義範 日本語必笑講座
清水義範 ゴミの定理
清水義範 目からウロコの教育を考えるヒント
清水義範 世にも珍妙な物語集
清水義範 ザ・勝負
清水義範 清水義範ができるまで

講談社文庫　目録

清水義範 西原理恵子・え　おもしろくても理科
清水義範 西原理恵子・え　もっとおもしろくても理科
清水義範 西原理恵子・え　どうころんでも社会科
清水義範 西原理恵子・え　もっとどうころんでも社会科
清水義範 西原理恵子・え　いやでも楽しめる算数
清水義範 西原理恵子・え　はじめてわかる国語
清水義範 西原理恵子・え　飛びすぎる教室
椎名　誠　フグと低気圧
椎名　誠　犬の系譜
椎名　誠　水域
椎名　誠　にっぽん・海風魚旅〈怪し火さすらい編〉
椎名　誠　〈にっぽん・海風魚旅2〉くじら雲追跡編
椎名　誠　もう少しむこうの空の下へ
椎名　誠　モヤシ
椎名　誠　アメンボ号の冒険
椎名　誠　風のまつり
東海林さだお 椎名誠　やぶさか対談
島田雅彦　フランシスコ・X
真保裕一　連鎖

真保裕一　取引
真保裕一　震源
真保裕一　盗聴
真保裕一　朽ちた樹々の枝の下で
真保裕一　奪取(上)(下)
真保裕一　防壁
真保裕一　密告
真保裕一　黄金の島(上)(下)
真保裕一　発火点
真保裕一　夢の工房
周大荒 渡辺精一訳　反三国志(上)(下)
篠田節子　贋《がん》作《さく》師《し》
篠田節子　聖域
篠田節子　弥勒
笙野頼子　居場所もなかった
笙野頼子　幽界森娘異聞
下川裕治 桃井和馬　世界一周ビンボー大旅行
下川裕治 篠原章　沖縄ナンクル読本
篠田真由美　未明の家〈建築探偵桜井京介の事件簿〉

篠田真由美　玄《くろ》い女神〈建築探偵桜井京介の事件簿〉
篠田真由美　翡翠《ひすい》の城〈建築探偵桜井京介の事件簿〉
篠田真由美　灰色の砦〈建築探偵桜井京介の事件簿〉
篠田真由美　原罪の庭〈建築探偵桜井京介の事件簿〉
篠田真由美　美貌の帳《とばり》〈建築探偵桜井京介の事件簿〉
篠田真由美　桜闇〈建築探偵桜井京介の事件簿〉
篠田真由美　仮面の島〈建築探偵桜井京介の事件簿〉
篠田真由美　センティメンタル・ブルー〈蒼の四つの冒険〉
篠田真由美　月蝕の窓〈建築探偵桜井京介の事件簿〉
篠田真由美 加藤俊章絵　レディMの物語
重松　清　定年ゴジラ
重松　清　半パン・デイズ
重松　清　世紀末の隣人
重松　清　流星ワゴン
重松　清　ニッポンの単身赴任
重松　清　ニッポンの課長
重松　清　愛妻日記
重松清 渡辺考　最後の言葉〈戦場に遺された二十四万字の届かなかった手紙〉
新堂冬樹　血塗られた神話

新堂冬樹　闇の貴族
柴田よしき　フォー・ディア・ライフ
柴田よしき　フォー・ユア・プレジャー
新野剛志　八月のマルクス
新野剛志　もう君を探さない
新野剛志　どしゃ降りでダンス
殊能将之　ハサミ男
殊能将之　美《み》濃《の》牛《ぎゅう》
殊能将之　黒い仏
殊能将之　鏡の中は日曜日
殊能将之　キマイラの新しい城
嶋田昭浩　解剖・石原慎太郎
首藤瓜於　脳男
首藤瓜於　事故係生稲昇太の多感
島村洋子　家族善哉
島村洋子　恋って恥ずかしい〈家族善哉2〉
仁賀克雄　切り裂きジャック〈闇に消えた殺人鬼の新事実〉
島本理生　シルエット
島本理生　リトル・バイ・リトル
島本理生　生まれる森
白川道　十二月のひまわり
子母澤寛　新装版 父子鷹 (上)(下)
不知火京介　マッチメイク
小路幸也　空を見上げる古い歌を口ずさむ
杉本苑子　孤愁の岸 (上)(下)
杉本苑子　引越し大名の笑い
杉本苑子　汚名
杉本苑子　女人古寺巡礼
杉本苑子　利休破調の悲劇
杉本苑子　江戸を生きる
杉田望　金融夜光虫
杉田望　特別検査〈金融アベンジャー〉
鈴木輝一郎　美男忠臣蔵
鈴木光司　神々のプロムナード
瀬戸内晴美　かの子撩乱
瀬戸内晴美　京まんだら (上)(下)
瀬戸内晴美　彼女の夫たち (上)(下)
瀬戸内晴美　蜜と毒
瀬戸内寂聴　寂庵説法
瀬戸内寂聴　新寂庵説法 愛なくば
瀬戸内晴美　家族物語 (上)(下)
瀬戸内寂聴　生きるよろこび〈寂聴随想〉
瀬戸内寂聴　寂聴天台寺好日
瀬戸内寂聴　人が好き［私の履歴書］
瀬戸内寂聴　渇く
瀬戸内寂聴　白道
瀬戸内寂聴　いのち発見
瀬戸内寂聴　無常を生きる〈寂聴随想〉
瀬戸内寂聴　わかれば『源氏』はおもしろい〈寂聴対談集〉
瀬戸内寂聴　寂聴相談室 人生道しるべ
瀬戸内寂聴　花芯
瀬戸内寂聴　瀬戸内寂聴の源氏物語
瀬戸内晴美編　人類愛に捧げた生涯〈人物近代女性史〉
瀬戸内寂聴・訳　源氏物語　巻《まき》一《いち》
瀬戸内寂聴・訳　源氏物語　巻《まき》二《に》
瀬戸内寂聴・訳　源氏物語　巻《まき》三《さん》
瀬戸内寂聴・訳　源氏物語　巻《まき》四《し》

瀬戸内寂聴・訳　源氏物語　巻《まき》五《ご》
瀬戸内寂聴・訳　源氏物語　巻《まき》六《ろく》
瀬戸内寂聴・訳　源氏物語　巻《まき》七《しち》
瀬戸内寂聴・訳　源氏物語　巻《まき》八《はち》
瀬戸内寂聴・訳　源氏物語　巻《まき》九《く》
梅原猛　瀬戸内寂聴　寂聴・猛の強く生きる心
関川夏央　よい病院とはなにか〈病むことと老いること〉
関川夏央　水の中の八月
関川夏央　やむにやまれず
先崎学　フフフの歩
先崎学　先崎学の実況！盤外戦
妹尾河童　少年H　(上)(下)
妹尾河童　河童が覗いたインド
妹尾河童　河童が覗いたヨーロッパ
妹尾河童　河童が覗いたニッポン
妹尾河童　河童の手のうち幕の内
妹尾河童　野坂昭如　少年Hと少年A
清涼院流水　コズミック流
清涼院流水　ジョーカー清
清涼院流水　ジョーカー涼
清涼院流水　コズミック水
清涼院流水　カーニバル一輪の花
清涼院流水　カーニバル二輪の草
清涼院流水　カーニバル三輪の層
清涼院流水　カーニバル四輪の牛
清涼院流水　カーニバル五輪の書
清涼院流水　秘密屋文庫 知ってる怪
清涼院流水　秘密室ボン〈QUIZ SHOW〉
瀬尾まいこ　幸福な食卓
曽野綾子　幸福という名の不幸(上)(下)
曽野綾子　私を変えた聖書の言葉
曽野綾子　自分の顔、相手の顔〈自分流を貫く生き方のすすめ〉
曽野綾子　それぞれの山頂物語　今こそ主体性のある生き方をしたい
曽野綾子　安逸と危険の魅力
曽野綾子　至福の境地
曽野綾子　なぜ人は恐ろしいことをするのか
蘇部健一　六枚のとんかつ
蘇部健一　長野・上越新幹線四時間三十分の壁
蘇部健一　動かぬ証拠
蘇部健一　木乃伊《ミイラ》男
瀬木慎一　名画はなぜ心を打つか
宗田理　13歳の黙示録
宗田理　天路TENRO
曽我部司　北海道警察の冷たい夏
田辺聖子　古川柳おちぼひろい
田辺聖子　川柳でんでん太鼓
田辺聖子　私的生活
田辺聖子　愛の幻滅
田辺聖子　苺をつぶしながら〈新・私的生活〉
田辺聖子　不倫は家庭の常備薬
田辺聖子　おかあさん疲れたよ(上)(下)
田辺聖子　ひねくれ一茶
田辺聖子　「おくのほそ道」を旅しよう〈古典を歩く11〉
田辺聖子　薄荷草の恋《ペパーミント・ラヴ》
立原正秋　春のいそぎ
立原正秋　雪のなか
谷川俊太郎訳　和田誠絵　マザー・グース　全四冊

立花 隆　中核VS革マル(上)(下)
立花 隆　日本共産党の研究 全三冊
立花 隆　青春漂流
立花 隆　同時代を撃つ I〜III〈情報ウォッチング〉
立花 隆　生、死、神秘体験
高杉 良　虚構の城
高杉 良　大逆転！〈小説三菱・第一銀行合併事件〉
高杉 良　バンダルの塔
高杉 良　懲戒解雇
高杉 良　労働貴族
高杉 良　広報室沈黙す(上)(下)
高杉 良　会社蘇生
高杉 良　炎の経営者(上)(下)
高杉 良　小説日本興業銀行 全五冊
高杉 良　社長の器
高杉 良　祖国へ、熱き心を〈東京にオリンピックを呼んだ男〉
高杉 良　その人事に異議あり〈女性広報主任のジレンマ〉
高杉 良　人事権！
高杉 良　小説消費者金融〈クレジット社会の罠〉
高杉 良　小説新巨大証券(上)(下)
高杉 良　局長罷免-小説通産省
高杉 良　首魁《しゅかい》の宴《うたげ》〈政官財腐敗の構図〉
高杉 良　指名解雇
高杉 良　燃ゆるとき
高杉 良　挑戦つきることなし〈小説ヤマト運輸〉
高杉 良　辞表撤回
高杉 良　銀行大合併〈短編小説全集(上)〉
高杉 良　エリートの反乱〈短編小説全集(中)〉
高杉 良　金融腐蝕列島(上)(下)
高杉 良　小説ザ・外資
高杉 良　銀行大統合〈小説みずほFG〉
高杉 良　勇気凜々
高杉 良　混沌《こんとん》新・金融腐蝕列島(上)(下)
高杉 良　乱気流(上)(下)
高橋源一郎　日本文学盛衰史
高橋克彦　写楽殺人事件
高橋克彦　悪魔のトリル
高橋克彦　総門谷
高橋克彦　北斎殺人事件
高橋克彦　歌麿殺《さつ》贋《がん》事件
高橋克彦　バンドネオンの豹《ジャガー》
高橋克彦　蒼《あお》夜《や》叉《しゃ》
高橋克彦　広重殺人事件
高橋克彦　北斎の罪
高橋克彦　総門谷R 阿黒篇
高橋克彦　総門谷R 鵺(ぬえ)篇
高橋克彦　総門谷R 小町変妖篇
高橋克彦　総門谷R 白骨篇
高橋克彦　1999年〈対談集〉
高橋克彦　星封陣
高橋克彦　炎《ほむら》立つ 壱 北の埋み火
高橋克彦　炎立つ 弐 燃える北天
高橋克彦　炎立つ 参 空への炎
高橋克彦　炎立つ 四 冥き稲妻
高橋克彦　炎立つ 伍 光彩楽土〈全五巻〉
高橋克彦　白妖鬼
高橋克彦　書斎からの空飛ぶ円盤

高橋克彦　降魔王
高橋克彦　鬼
高橋克彦　火怨〈北の燿星アテルイ〉(上)(下)
高橋克彦　時宗　壱　乱星
高橋克彦　時宗　弐　連星
高橋克彦　時宗　参　震星
高橋克彦　時宗　四　戦星〈全四巻〉
高橋克彦　京伝怪異帖　巻の上　巻の下
高橋克彦　天を衝く(1)〜(3)
高橋克彦　ゴッホ殺人事件(上)(下)
高橋克彦　竜の柩(1)〜(6)
高橋克彦　刻謎宮(1)〜(4)
高橋　治　男波女波〈放浪一本釣り〉(上)(下)
高橋　治　星の衣
高樹のぶ子　妖しい風景
高樹のぶ子　エフェソス白恋
高樹のぶ子　満水子(上)(下)
田中芳樹　創竜伝1〈超能力四兄弟《ドラゴン》〉
田中芳樹　創竜伝2〈摩天楼の四兄弟《ドラゴン》〉
田中芳樹　創竜伝3〈逆襲の四兄弟《ドラゴン》〉
田中芳樹　創竜伝4〈四兄弟《ドラゴン》脱出行〉
田中芳樹　創竜伝5〈蜃気楼都市《ミラージュ・シティ》〉
田中芳樹　創竜伝6〈染血の夢《ブラッディ・ドリーム》〉
田中芳樹　創竜伝7〈黄土のドラゴン〉
田中芳樹　創竜伝8〈仙境のドラゴン〉
田中芳樹　創竜伝9〈妖世紀のドラゴン〉
田中芳樹　創竜伝10〈大英帝国最後の日〉
田中芳樹　創竜伝11〈銀月王伝奇〉
田中芳樹　創竜伝12〈竜王風雲録〉
田中芳樹　創竜伝13〈噴火列島〉
田中芳樹　魔天楼〈薬師寺涼子の怪奇事件簿〉
田中芳樹　東京ナイトメア〈薬師寺涼子の怪奇事件簿〉
田中芳樹　巴里《パリ》・妖都変〈薬師寺涼子の怪奇事件簿〉
田中芳樹　クレオパトラの葬送〈薬師寺涼子の怪奇事件簿〉
田中芳樹　西風の戦記《ゼピュロシア・サーガ》
田中芳樹　夏の魔術
田中芳樹　窓辺には夜の歌
田中芳樹　書物の森でつまずいて……
田中芳樹　白い迷宮
田中芳樹　春の魔術
田中芳樹／幸田露伴 原作　運命〈二人の皇帝〉
田中芳樹／土屋守　「イギリス病」のすすめ
田中芳樹ほか 文／皇名月 画・文　中国帝王図
田中芳樹／赤城毅　中欧怪奇紀行
田中芳樹 編訳　岳飛伝〈青雲篇〉(一)
高任和夫　架空取引
高任和夫　粉飾決算
高任和夫　告発倒産
高任和夫　商社審査部25時〈知られざる戦士たち〉
高任和夫　起業前夜(上)(下)
高任和夫　燃える氷(上)(下)
高任和夫　債権奪還
谷村志穂　十四歳のエンゲージ
谷村志穂　十六歳たちの夜
谷村志穂　レッスンズ
高村　薫　李歐《りおう》
高村　薫　マークスの山(上)(下)

講談社文庫　目録

高村　薫　照　柿(上)(下)
多和田葉子　犬　婿　入　り
岳　宏一郎　蓮如夏の嵐(上)(下)
岳　宏一郎　御　家　の　狗
武　豊　この馬に聞いた！ フランス激闘編
武　豊　この馬に聞いた！ 炎の復活凱旋編
武　豊　この馬に聞いた！ 大外強襲編
武田　圭　南　海　楽　園〈タヒチ、バリ、モルジブ……サーフィン一人旅〉
高橋直樹　湖　賊　の　風
橘　蓮二 監修・高田文夫　大増補版おあとがよろしいようで〈東京寄席往来〉
多田容子　柳　影
多田容子　や　み　と　り　屋
多田容子　女剣士・一子相伝の影
田島優子　女検事ほど面白い仕事はない
高田崇史　ＱＥＤ〈百人一首の呪〉
高田崇史　ＱＥＤ〈六歌仙の暗号〉
高田崇史　ＱＥＤ〈ベイカー街の問題〉
高田崇史　ＱＥＤ〈東照宮の怨〉
高田崇史　ＱＥＤ〈式の密室〉
高田崇史　ＱＥＤ〈竹取伝説〉
高田崇史　ＱＥＤ〈龍馬暗殺〉
高田崇史　ＱＥＤ ～ventus～〈鎌倉の闇〉
高田崇史　試験に出るパズル〈千葉千波の事件日記〉
高田崇史　試験に敗けない密室〈千葉千波の事件日記〉
高田崇史　試験に出ないパズル〈千葉千波の事件日記〉
高田崇史　麿の酩酊事件簿〈花に舞〉
高田崇史　麿の酩酊事件簿〈月に酔〉
竹内玲子　笑うニューヨーク DELUXE
竹内玲子　笑うニューヨーク DYNAMITES
竹内玲子　笑うニューヨーク DANGER
竹内玲子　踊るニューヨーク Beauty Quest
団　鬼六　外　道　の　女
高野和明　13　階　段
高野和明　グレイヴディッガー
高野和明　Ｋ・Ｎの悲劇
高里椎奈　銀の檻を溶かして〈薬屋探偵妖綺談〉
高里椎奈　黄色い目をした猫の幸せ〈薬屋探偵妖綺談〉
高里椎奈　悪魔と詐欺師〈薬屋探偵妖綺談〉
高里椎奈　金糸雀《カナリア》が啼く夜〈薬屋探偵妖綺談〉
高里椎奈　緑陰の雨　灼けた月〈薬屋探偵妖綺談〉
高里椎奈　白兎が歌った蜃気楼〈薬屋探偵妖綺談〉
高里椎奈　本当は知らない〈薬屋探偵妖綺談〉
大道珠貴　背　く　子
大道珠貴　ひさしぶりにさようなら
高橋　和　女　流　棋　士
高木　徹　ドキュメント 戦争広告代理店〈情報操作とボスニア紛争〉
平安寿子　グッドラックらっぱい
高梨耕一郎　京　都　風　の　奏　葬
高梨耕一郎　京都半木の道　桜雲の殺意
日明《たちもり》　恩《めぐみ》　それでも、警官は微笑《わら》う
多田克己 絵・京極夏彦　百　鬼　解　読
竹内　真　じーさん武勇伝
たつみや章　ぼくの・稲荷山戦記
たつみや章　夜　の　神　話
たつみや章　水　の　伝　説
橘　もも　バックダンサーズ！
橘もも／三浦天紗子／百瀬しのぶ／田浦智美　サッド・ムービー

2007年9月15日現在